Ramón de Jesús Rodríguez

Et si j'apprenais la peinture à l'huile

Éditions
Place des Victoires

6, rue du Mail - 75002 Paris

ISBN 2-84459-010-1
Dépôt légal : janvier 2004

Imprimé en juillet 2005 par CLERC S.A.S - 18200 Saint-Amand-Montrond, France

SOMMAIRE

Matériel

LA PEINTURE À L'HUILE. DE NOUVELLES POSSIBILITÉS

L'huile est un moyen d'expression pictural qui offre un grand éventail de possibilités et c'est sans doute ce procédé qui a permis à la peinture de devenir ce qu'elle est aujourd'hui. Les origines de la peinture à l'huile remontent au début de la Renaissance. Depuis lors, elle est devenue la technique préférée des peintres. Même si son essence n'a pas changé au cours des six derniers siècles, l'industrie des beaux-arts a créé une grande variété de produits et d'accessoires qui facilitent son emploi et la rendent accessible au peintre amateur.

L'huile se différencie essentiellement des autres procédés picturaux par la grande luminosité de ses couleurs et par ses qualités, qui en font un moyen d'expression unique dans le domaine de la peinture. Les couleurs à l'huile présentent, d'une part, une grande stabilité à la lumière et une grande durabilité, et possèdent, d'autre part, une texture crémeuse, inaltérable après séchage.

▼ *Les couleurs à l'huile sont onctueuses et présentent une consistance pâteuse qui permet au peintre de maîtriser parfaitement leur application. La couleur qui s'échappe lorsque l'on appuie sur un tube de peinture à l'huile possède une grande vigueur chromatique, qui dépend néanmoins de la qualité de la peinture employée. Nous vous recommandons d'utiliser des peintures de qualité, car elles conserveront leurs propriétés après séchage.*

La couleur à l'huile est essentiellement composée d'huile de lin (le médium) et de pigments. Mélangés et malaxés, ces composants forment une pâte facile à étaler et à combiner. Les couleurs à l'huile de qualité permettent d'obtenir des mélanges aussi parfaits que ceux qui figurent ci-dessous. ▲

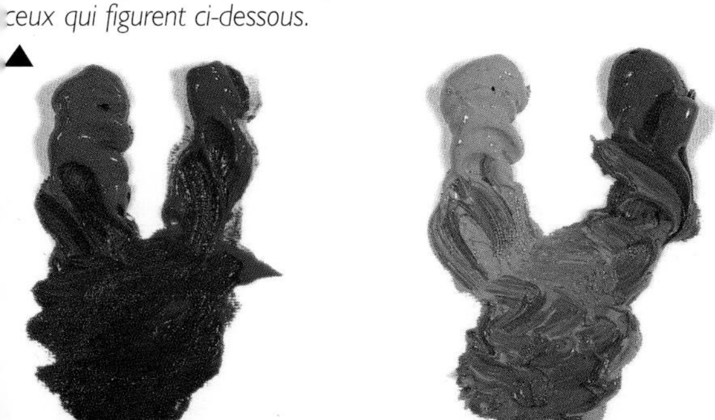

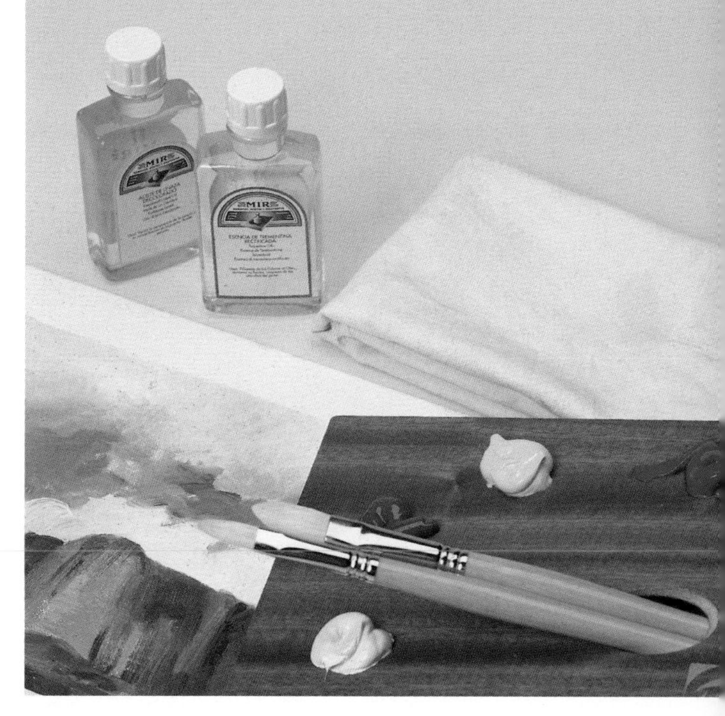

▼ *Le matériel de base nécessaire au peintre est composé de couleurs à l'huile - elles peuvent être achetées à l'unité et il n'est pas indispensable d'en acquérir un grand nombre, quelques tubes suffisent : du blanc, du jaune moyen, du rouge, du vert et du noir -, de deux pinceaux en soies de porc, d'une palette destinée à réaliser les mélanges, d'huile de lin, d'essence de térébenthine, d'un carton entoilé et de chiffons. Toutes ces fournitures sont disponibles dans les magasins spécialisés.*

COMPOSITION DE LA COULEUR À L'HUILE ET ORGANISATION DE LA PALETTE

La couleur à l'huile est composée de pigments et d'huile, elle est donc uniquement soluble dans de l'essence de térébenthine, standard ou rectifiée. Contrairement aux autres procédés picturaux, les couleurs à l'huile ne sèchent pas par évaporation, car elles ne contiennent pas d'eau ; leur durcissement s'effectue par oxydation de l'huile. Les caractéristiques les plus marquantes de la peinture à l'huile sont sa lenteur de séchage, la possibilité de superposer plusieurs couches opaques et transparentes, et la grande variété de ressources qu'elle offre au peintre et que nous étudierons plus avant dans cet ouvrage.

Les couleurs à l'huile permettent d'obtenir des effets de transparence d'une grande luminosité ; il vous faut pour cela disposer d'huile de lin, d'essence de térébenthine et de vernis hollandais ou de tout autre médium approprié ou de l'un des produits vendus à cet effet. Pour exécuter des glacis à l'huile, il est nécessaire de disposer d'un récipient destiné à accueillir la couleur. ◀

▼ *La couleur à l'huile est composée d'huile de lin et de pigments, et peut également contenir une petite quantité d'essence de térébenthine. Ces trois composants permettent au peintre d'obtenir la peinture la plus belle qui soit. Vous trouverez plus loin des explications détaillées relatives au processus de fabrication de la couleur à l'huile. Les pinceaux utilisés doivent tout d'abord être nettoyés à l'essence de térébenthine, puis soigneusement lavés à l'eau et au savon.*

CONSEIL UTILE

Les godets sont des accessoires indispensables pour la peinture à l'huile. Ces récipients métalliques sont idéaux pour conserver l'huile de lin et l'essence de térébenthine.

▶ *Nous vous recommandons d'organiser votre palette de façon à disposer les couleurs dans un ordre chromatique, comme le montre l'illustration ci-contre. Déposez les couleurs sur le pourtour de votre palette, le centre de celle-ci devant être parfaitement propre. Ci-contre, un exemple d'organisation des couleurs sur une palette.*

FABRICATION DES COULEURS À L'HUILE

Avant de commencer à peindre, il faut connaître l'un des aspects techniques de la peinture à l'huile : la méthode de fabrication des couleurs, un procédé plus laborieux que difficile. Nous expliquons dans ces pages le processus de base de l'élaboration de la peinture à l'huile. Même si les couleurs à l'huile sont disponibles sous une forme qui garantit la qualité du produit, c'est-à-dire en tubes, il n'est pas inutile de savoir comment elles sont élaborées. Nous vous conseillons d'apprendre à fabriquer les couleurs, car cela vous permettra d'accéder à un grand nombre de techniques que nous vous expliquerons par la suite.

◀ **1.** *Pour fabriquer une couleur à l'huile, il vous suffit de disposer de quelques matériaux de base : de l'huile de lin, si possible raffinée et décolorée, un pigment de première qualité, un couteau en acier et une palette propre et vernie. Déposez quelques grammes de pigment dans le centre de la palette et, à côté de celui-ci, versez une petite quantité d'huile.*

Lorsque la peinture est trop brillante et très liquide, cela est dû à la présence d'un excès d'huile dans le mélange ; le cas échéant, vous risquez de voir apparaître des rides et des poches sur la toile après séchage. Un manque d'huile provoque, au contraire, une absence de brillance de la peinture et l'apparition de fissures après séchage.

◀ **2.** *Déplacez une partie du pigment vers la tache d'huile en utilisant le chant du couteau. Mélangez peu à peu ces deux composants tout en broyant le pigment jusqu'à ce que celui-ci soit complètement absorbé par l'huile. Cet exercice peut s'avérer assez long, mais il convient de le poursuivre jusqu'à ce que le mélange soit parfait.*

◀ **3.** *Si le mélange est trop liquide, ajoutez du pigment et continuez à amalgamer les composants. Lorsque la consistance de l'ensemble vous semble appropriée, continuez à malaxer jusqu'à ce que vous obteniez une peinture onctueuse et élastique, exempte de grumeaux. Le mélange étant prêt, vous pouvez y ajouter quelques gouttes de vernis hollandais.*

PRÉSENTATIONS DE LA COULEUR À L'HUILE

La peinture à l'huile est généralement vendue sous forme de tubes unitaires. Nous vous conseillons d'adopter cette solution si vous disposez déjà d'un coffret de rangement et de transport. Les fabricants commercialisent également des coffrets contenant un assortiment de couleurs de différentes qualités. Le coffret est, dans un cas comme dans l'autre, pratiquement indispensable, car il permet d'agencer les couleurs, mais aussi de ranger les accessoires nécessaires au peintre.

▶ ***Coffret pourvu de tiroirs latéraux.*** *Ce type d'accessoire est uniquement utile en atelier, car il est difficile à transporter.*

◀ *Ce modèle de coffret contient deux rangées de tubes et deux palettes qui séparent les compartiments et s'emboîtent parfaitement dans les encoches prévues à cet effet.*

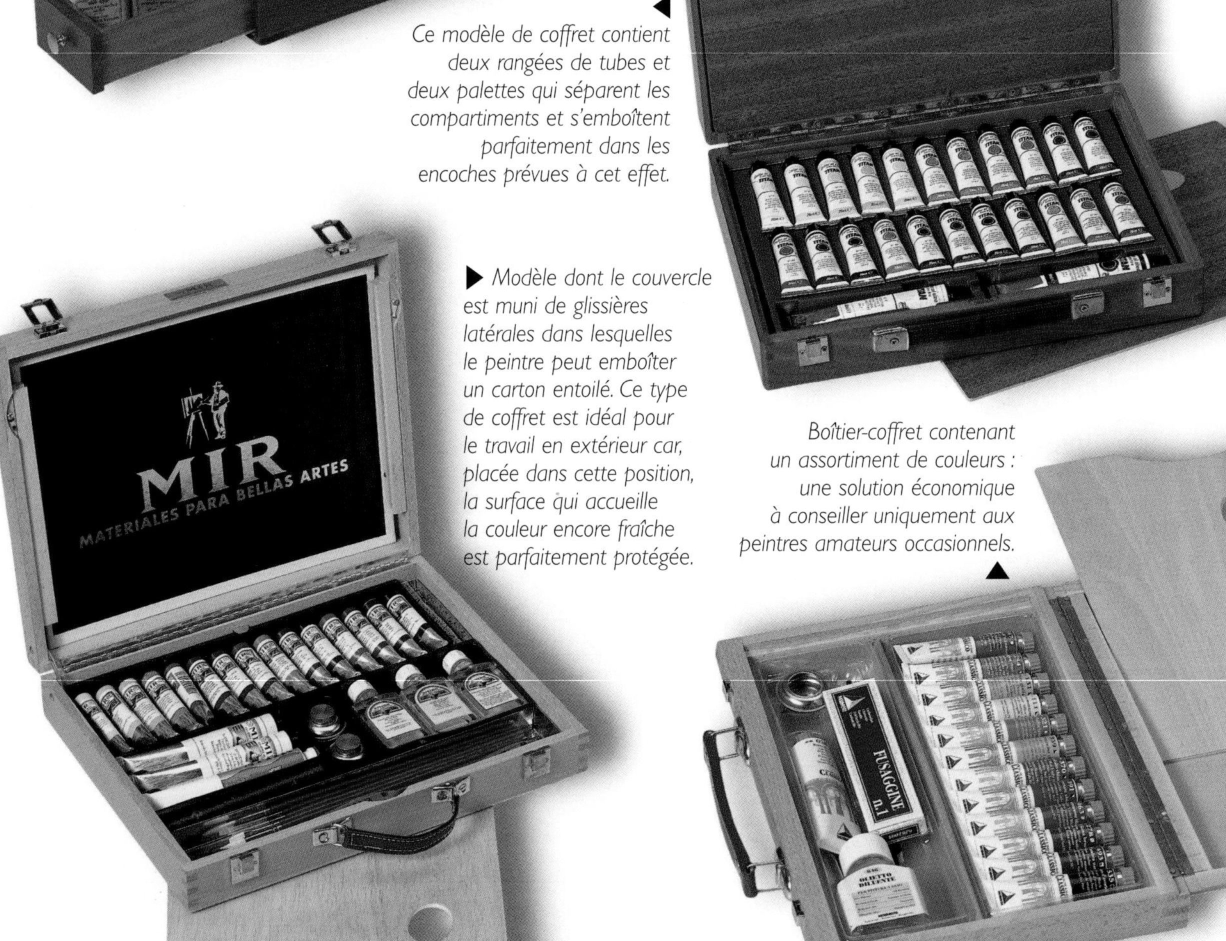

▶ *Modèle dont le couvercle est muni de glissières latérales dans lesquelles le peintre peut emboîter un carton entoilé. Ce type de coffret est idéal pour le travail en extérieur car, placée dans cette position, la surface qui accueille la couleur encore fraîche est parfaitement protégée.*

Boîtier-coffret contenant un assortiment de couleurs : une solution économique à conseiller uniquement aux peintres amateurs occasionnels. ▲

ADDITIFS

La couleur à l'huile offre une grande variété de possibilités de mise en œuvre. Le peintre peut la transformer en une couleur parfaitement transparente appropriée à la technique du glacis, la rendre liquide ou opaque, la fondre sur d'autres couleurs pendant les différentes phases d'exécution du tableau ou augmenter sa charge minérale pour obtenir une texture granuleuse. Mis à part l'huile de lin et l'essence de térébenthine, les produits indiqués ci-après ne sont pas indispensables. Ils sont néanmoins importants pour l'obtention de certains effets que nous étudierons plus avant dans cet ouvrage.

Poudre de marbre et oligiste. *Il s'agit des deux principales charges minérales servant à créer des textures. L'huile doit être mélangée à ces produits sur la palette pour que la couleur enveloppe leurs corpuscules minéraux. Ce type de charge minérale permet de créer de surprenants effets de texture.* ▲

▼ **Huile de lin et essence de térébenthine.** *Ces deux produits doivent impérativement être présents dans le coffret du peintre, car ils ne sont pas uniquement les composants de la peinture, ils permettent également de fluidifier la couleur pendant toutes les phases d'exécution du tableau. S'agissant des éléments de base de la composition des couleurs, ils doivent être de qualité.*

Gels acryliques de texture. *Ces produits sont très faciles à appliquer sur le support vierge. Ils sèchent rapidement et permettent de créer des surfaces à peindre présentant diverses textures.* ▲

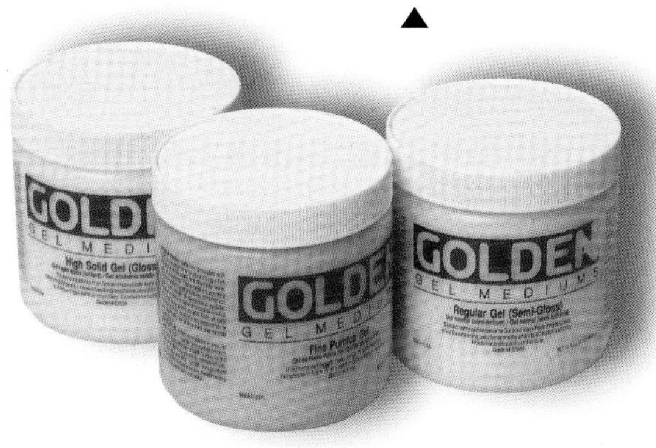

Le vernis s'applique sur le tableau parfaitement sec. Il assure la protection de la surface et permet de rééquilibrer les différences de nuances et les reflets.

PINCEAUX ET COUTEAUX

Les pinceaux sont des outils indispensables pour tout travail à l'huile. Ils constituent un véritable prolongement de la main et permettent d'appliquer la couleur sur le support, de réaliser des mélanges et d'effectuer le geste nécessaire à la pose de toutes sortes de taches de couleur. Contrairement aux pinceaux, les couteaux permettent d'appliquer les couleurs par empâtement et par entraînement, et facilitent l'obtention de tracés à la fois très particuliers et porteurs d'effets.

▶ *Le peintre dispose d'un choix étendu de pinceaux appropriés à la peinture à l'huile. Les différents types de pinceau disponibles sur le marché sont les suivants : pinceau en éventail (1), pinceau à bouts carrés (2), pinceaux à bout rond (3-4) et pinceau langue de chat (5).*

▼ ***Gamme de couteaux.*** *Il existe de nombreux types de couteaux de formes différentes. Certains sont très flexibles et longs, alors que d'autres sont plus rigides. Il est important de bien entretenir les couteaux pour éviter qu'ils ne s'oxydent. Ils doivent être soigneusement lavés et séchés après chaque utilisation. Nous vous conseillons également de graisser ou d'huiler légèrement leur lame et de les envelopper dans du papier journal si vous prévoyez de ne pas vous en servir pendant un certain temps.*

▼ *Parmi les pinceaux les plus utiles figurent les brosses, plates et à bout carré. Malgré leur apparence grossière, elles permettent d'exécuter une grande variété de travaux. Elles facilitent la fusion et la pose rapide de couleurs sur la toile.*

▶ *Le pinceau à pointe en caoutchouc est un outil à mi-chemin entre le couteau et le pinceau.*

SURFACES ET FORMATS UNIVERSELS

Sur quelles surfaces peut-on peindre ? Quel format choisir ? Il s'agit là des deux questions les plus fréquentes qui viennent à l'esprit des peintres amateurs. Ils ont à leur disposition toutes sortes de surfaces : certaines sont déjà apprêtées, alors que d'autres se présentent à l'état brut et doivent être préparées par l'artiste avant la pose des premières couleurs. Tous les supports destinés à la peinture à l'huile sont disponibles dans les magasins spécialisés.

Dans le domaine de la peinture à l'huile, la toile est la surface par excellence. Ces deux toiles sont en lin et à l'état brut, c'est-à-dire qu'elles ne portent aucun apprêt. La toile peut se présenter sous deux formes : au mètre ou montée sur un châssis. Si la toile que vous achetez est apprêtée, vous pourrez immédiatement commencer à peindre, alors que si elle est à l'état brut, il vous faudra l'apprêter pour que la fibre soit isolée de tout contact avec l'huile.

Les magasins spécialisés dans la vente d'articles pour les beaux-arts proposent différents formats de châssis et de cartons selon le sujet choisi : paysage, marine ou figure. Chacun de ces formats possède des proportions différentes et est approprié (sans que cela soit exclusif) à chacun de ces thèmes.

Carton entoilé. *Le carton entoilé est une option économique et appropriée à la peinture à l'huile. Ce type de support consiste en un carton rigide d'une épaisseur de 5 mm et recouvert d'une toile apprêtée dont les finitions sont soignées. Il est donc idéal pour la majorité des exercices que nous vous proposons, mais n'est pas disponible dans tous les formats standard internationaux. Seuls les petits formats sont commercialisés.*

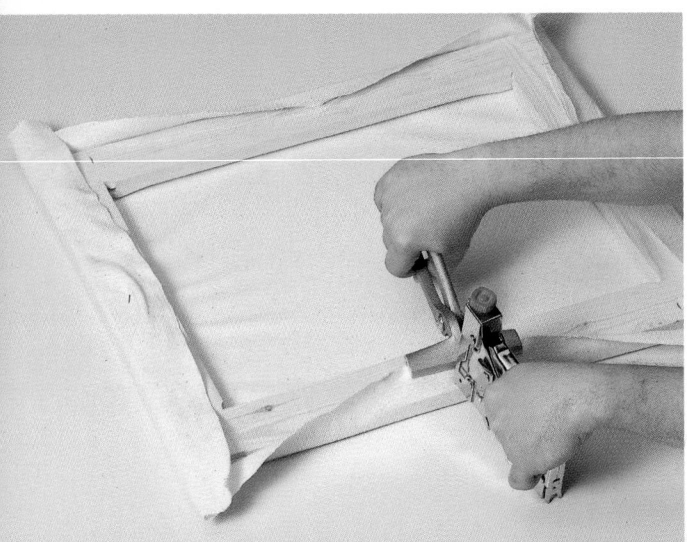

MONTER UNE TOILE SUR UN CHÂSSIS

Tout bon magasin spécialisé doit proposer au peintre une gamme étendue de fournitures destinées à faciliter les travaux de préparation et de fabrication de ses propres matériaux. La solution la plus simple consiste, il est vrai, à acquérir des toiles prêtes à peindre, montées sur châssis, mais il est important que le peintre amateur apprenne à monter sa propre toile, apprêtée ou non. L'emploi d'une toile à l'état brut vous permettra d'apporter une note personnelle à votre tableau, mais aussi de disposer d'une plus grande latitude de choix, tant en ce qui concerne la qualité de la toile que le type de châssis.

▶ *Il existe de nombreux types de toiles appropriées à la peinture à l'huile. Les plus couramment utilisées sont les toiles en lin, en coton et lin ou en coton et polyester. Les toiles en lin étant de grande qualité, nous vous conseillons d'acquérir ce type de support, mais sachez que leur prix est relativement élevé. Vous pouvez également utiliser des toiles en coton, appelées toiles à voile, mais elles ne sont pas aussi stables que les toiles en lin. Elles risquent de ne pas résister à la tension exercée par le châssis et de se déchirer. Néanmoins, de nombreux artistes peignent sur des toiles en coton sans rencontrer aucun problème. La solution intermédiaire consiste à employer une toile constituée d'un mélange de lin et de coton. Pour effectuer le montage, il vous faut disposer d'un châssis, d'une toile légèrement plus grande que celui-ci (elle doit dépasser de 5 cm de chaque côté), d'une agrafeuse de tapissier et de pinces à tendre les toiles.*

▶ **1.** *Posez la toile à plat sur une surface plane. Après avoir placé le châssis au centre de la toile, fixez celle-ci sur la partie arrière du châssis à l'aide d'une première agrafe que vous insérerez au centre de l'un des montants. Tendez ensuite la toile du côté opposé à la main pour ne pas arracher l'agrafe que vous venez de fixer, et repliez la toile sur l'arrière du châssis. Fixez la seconde agrafe au centre de ce montant, en prenant soin que la toile ne se détende pas. Elle formera un pli central en raison de la tension exercée.*

▶ **2.** *Tendez de nouveau la toile à la main, en tirant vers l'un des deux montants sur lesquels la toile n'est pas encore fixée et agrafez-la immédiatement. Trois des quatre côtés sont maintenant agrafés. Passez au quatrième en tendant la toile à l'aide de la pince ; il est important de veiller à bien doser la force exercée, car l'application d'une tension excessive risquerait de déséquilibrer les points de fixation. L'un des côtés de la pince est plus épais que l'autre et présente un chant droit : c'est ce côté que vous devez appuyer sur le bois pour faire levier. La toile étant tendue, agrafez-la sans lâcher la pince. La toile est maintenant fixée des quatre côtés.*

TENDRE UNE TOILE

Cette étape est très importante, qu'il s'agisse d'une toile à l'état brut ou d'une toile apprêtée. Les plis ne disparaîtront que si les tensions sont bien réparties sur toute la surface de la toile. Il est essentiel de plier soigneusement les coins car cela vous aidera à parfaire la tension.

◀

Saisissez la toile à un endroit situé à environ 10 cm du centre de l'un des quatre côtés du châssis, puis tendez-la légèrement et agrafez-la. Répétez cette opération du côté opposé, en exerçant la même tension pour éviter la formation de plis. Faites de même sur l'un des montants contigus pour compenser le pli transversal et agrafez la toile. Répétez cette opération du côté opposé, et recommencez pour chacun des côtés jusqu'à ce que la toile soit bien tendue, excepté dans les coins. Prêtez une attention particulière à cette phase du processus, car elle marque le point final de la tension de toute toile sur un châssis. Pliez le coin de la toile vers l'intérieur ; le chant du châssis vous servira de butée. La partie de la toile que vous avez repliée vers l'intérieur doit être parfaitement rectiligne. De cette façon, lorsque vous rabattrez le coin sur le côté, il formera un angle de 45° avec l'arête du châssis.

◀

Toutes les toiles ne sont pas aussi faciles à tendre. Les toiles apprêtées offrent une plus grande résistance que celles à l'état brut et risquent de se déchirer. S'il existe encore quelques plis de surface à la fin du processus de tension, humidifiez la partie postérieure de la toile.

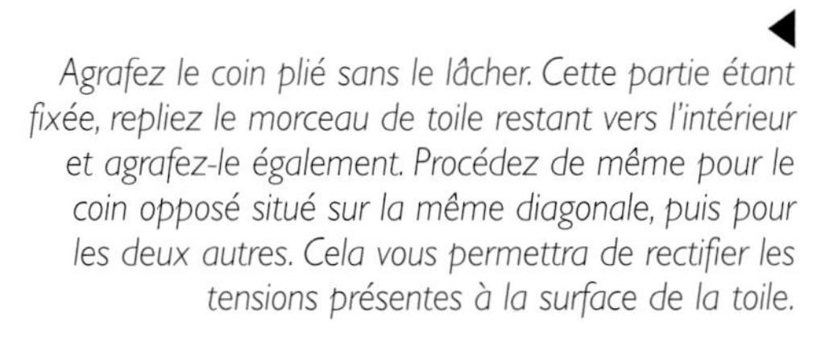

◀

Agrafez le coin plié sans le lâcher. Cette partie étant fixée, repliez le morceau de toile restant vers l'intérieur et agrafez-le également. Procédez de même pour le coin opposé situé sur la même diagonale, puis pour les deux autres. Cela vous permettra de rectifier les tensions présentes à la surface de la toile.

PRÉPARATION DES SURFACES

Si la toile que vous avez tendue est apprêtée, vous pourrez immédiatement commencer à peindre. Dans le cas contraire, vous devrez y appliquer un enduit qui permettra d'éviter que la fibre entre en contact direct avec l'huile. Certains enduits artisanaux sont à base de colles animales, mais leur préparation est une tâche fastidieuse et ils ne sont pratiquement plus utilisés aujourd'hui. Les peintres ont plutôt tendance à employer du gesso acrylique, un produit dont le résultat est garanti et que vous trouverez dans tous les magasins spécialisés. Les toiles ne sont pas les seuls supports pouvant être enduits. Vous pouvez également enduire du bois, du carton ou du papier, c'est-à-dire des supports sur lesquels il serait impossible de peindre à l'huile s'ils n'étaient pas apprêtés. Une surface bien apprêtée est essentielle à la réussite d'un tableau.

▶ **1.** *Quelle que soit la surface que vous voulez enduire, vous aurez besoin d'un pot de gesso et d'une brosse. Passez la brosse fortement imprégnée de gesso sur la surface à enduire, dans le sens longitudinal. L'enduit doit pénétrer à l'intérieur de la fibre et boucher les pores. Répétez cette opération à plusieurs reprises, jusqu'à ce que chacune des zones du support soit entièrement couverte de gesso.*

▶ **2.** *Après avoir couvert toute la surface du support dans le sens longitudinal, répétez cette opération dans le sens transversal. Vous aurez ainsi la certitude d'avoir couvert toute la surface et de ne laisser aucun recoin à découvert. Insistez particulièrement sur les bords du support et dans les angles au cas où vos coups de pinceau n'auraient pas été assez longs pour les atteindre.*

▶ **3.** *Laissez sécher la surface que vous venez d'enduire. Il vous faudra sans doute attendre quelques heures, à moins que vous ne l'exposiez au soleil ou à une source de chaleur pour accélérer le séchage. Le support étant sec, vous constaterez sans doute la présence d'irrégularités de texture. Il vous suffira de frotter la surface à l'aide d'un papier émeri monté sur une cale en bois pour y remédier. Prenez soin de ne pas exercer une pression excessive sur le support.*

AUTRES PRÉSENTATIONS DES COULEURS À L'HUILE

Bien que la peinture à l'huile soit une technique traditionnelle, les fabricants ne cessent de rechercher de nouvelles possibilités et de nouvelles applications de ce procédé pictural. Dans tout bon magasin spécialisé, vous trouverez des couleurs à l'huile sous différentes formes. Elles méritent non seulement que vous vous familiarisiez avec elles, mais aussi que vous les combiniez avec les présentations plus classiques.

▼ *Les couleurs à l'huile en bâtons ne perdent aucune de leurs caractéristiques. Elles peuvent être utilisées comme tout autre outil pictural requérant l'emploi d'un pinceau. La gamme des couleurs présentées sous cette forme est lumineuse et stable. Il est possible de leur superposer d'autres touches de couleur à l'huile. Les couleurs à l'huile en bâtons permettent de tracer, de dessiner et de peindre des empâtements épais.*

◀ *Les agents agglutinants des pastels gras sont l'huile et la gomme arabique. Ils sont donc parfaitement compatibles avec ce médium pictural.*

▶ *Pendant une grande partie de sa carrière, l'artiste Edvard Munch réalisa des recherches relatives à la peinture à l'huile en vue de découvrir une formule permettant d'associer la peinture grasse et une résine pour que l'huile soit soluble dans l'eau. Il fut sur le point d'atteindre son but, mais échoua, faute de moyens. Néanmoins, pendant les dernières années, quelques-uns des plus importants fabricants de couleurs ont réussi à transformer le rêve de ce peintre en réalité. Le résultat de ses recherches est une peinture possédant les caractéristiques propres aux couleurs à l'huile, mais soluble dans l'eau et dont le séchage est rapide. Ce type de couleur à l'huile permet au peintre d'améliorer sa vitesse d'exécution, tout en ayant la certitude que les premières couches seront sèches en peu de temps.*

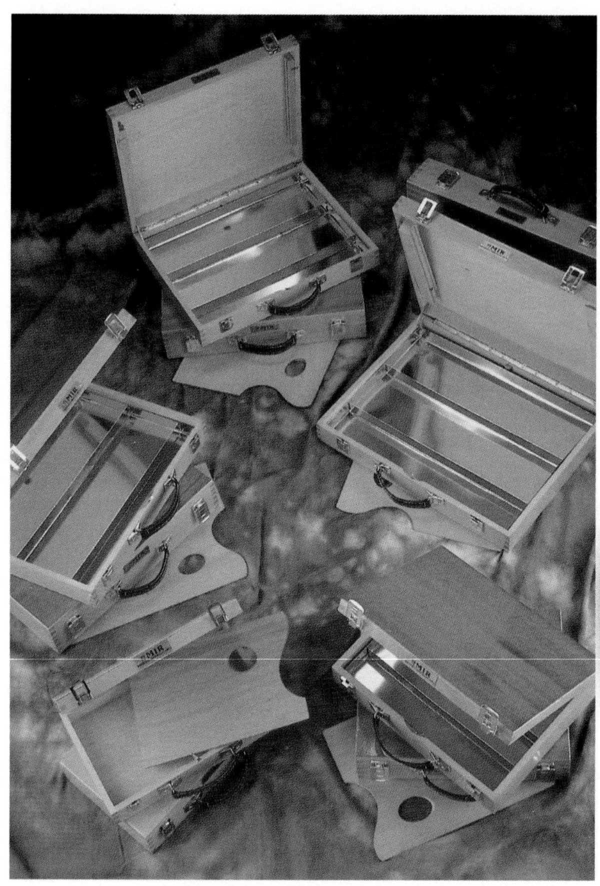

▼ *Il en existe divers modèles, qui vont des coffrets les plus simples – de petites boîtes exemptes de compartiments – aux coffrets doubles les plus complets et les plus sophistiqués, doublés de parties métalliques destinées au rangement des tubes et autres accessoires. Ces coffrets présentent de nombreux avantages par rapport aux coffrets garnis, dont les compartiments sont en matière plastique.*

PALETTES, COFFRETS ET CHEVALETS

Le choix du matériel dépend de l'artiste. Certains peintres amateurs préfèrent assembler eux-mêmes leur propre équipement de peinture parce qu'aucun des coffrets proposés sur le marché ne leur semble approprié ou bien choisissent un type de palette plutôt qu'un autre parce qu'il leur semble plus pratique pour le mélange des couleurs. Un autre accessoire indispensable au peintre, le chevalet, existe également sous diverses formes. Vous trouverez une grande variété de modèles sur le marché.

▼ *Pour réaliser ses mélanges, le peintre amateur doit parfois avoir recours à une palette plus grande que celles qui sont fournies avec les coffrets ou, au contraire, beaucoup plus petite. Il existe de nombreuses formes et de nombreuses tailles de palettes. Leur surface doit impérativement être vernie. Dans le cas contraire, il convient de leur appliquer une ou deux couches de vernis protecteur. La couleur de la palette a peu d'importance, elle dépend des goûts du peintre. Certains artistes préfèrent employer une palette de couleur très sombre et d'autres de couleur très claire. L'illustration ci-dessus montre quelques-unes des formes et des tailles de palettes les plus courantes.*

▶ *Il peut s'avérer délicat et peu pratique de peindre lorsque l'on ne dispose pas d'une base solide sur laquelle appuyer le support. Dans des situations précaires, il est toujours possible d'improviser une surface d'appui provisoire, mais si celle-ci n'est pas assez solide, vous risquez de gâcher accidentellement un travail qui vous aura coûté un certain investissement personnel et du temps. Le chevalet apporte la solidité et la stabilité nécessaires au support. Cet accessoire ne doit jamais être absent d'un atelier de peintre.*

THÈME

1 Le mélange des couleurs

ESSAI DE COULEUR

Il ne s'agit pas uniquement de couvrir votre palette de couleurs. La méthode la plus judicieuse consiste à limiter votre choix à la quantité nécessaire et aux couleurs susceptibles d'être utilisées. Trois d'entre elles suffisent pour créer toute la gamme des couleurs de l'arc-en-ciel et, par extension, toutes les couleurs connues. Si vous suivez bien cet exercice, il vous sera très facile d'obtenir n'importe quelle couleur.

Ce premier thème va nous permettre d'aborder l'étude de quelques-uns des concepts élémentaires les plus importants de la peinture à l'huile. L'apprentissage de la technique ne présente aucune difficulté, mais il est nécessaire de maîtriser quelques notions de base, telles que le mélange des couleurs et leur organisation sur la palette. Le peintre amateur doit avoir parfaitement assimilé ces connaissances élémentaires avant de se lancer dans l'exécution de thèmes plus complexes. Comme vous pourrez le constater ci-après, les couleurs à l'huile sont faciles à mélanger.

▶ *Ce premier travail est basé sur l'emploi de trois couleurs primaires : le bleu, le rouge carmin et le jaune. Lorsque vous les disposez sur la palette, veillez à ce que l'espace qui les sépare soit suffisant pour vous permettre de travailler aisément sur les mélanges. Sachez également que plus la qualité de la couleur à l'huile sera élevée, plus le résultat obtenu sera bon. La palette doit, elle aussi, être de bonne qualité. Sa surface doit être vernie pour éviter que la couleur pénètre dans les veines du bois.*

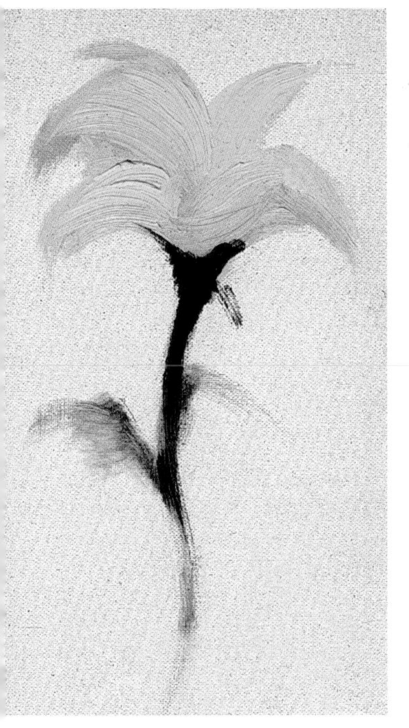

▶ 1. *La méthode idéale pour exercer consiste à commencer par des sujets simples, tels que la fleur ci-contre. Imprégnez votre pinceau de couleur jaune et posez quelques touches libres en forme d'éventail ; jusqu'ici, rien de très difficile. La peinture doit être onctueuse et épaisse. Mélangez ensuite du bleu et du jaune pour obtenir du vert, que vous utiliserez pour peindre la tige. Si votre pinceau est peu chargé en couleur, les traces des soies seront visibles.*

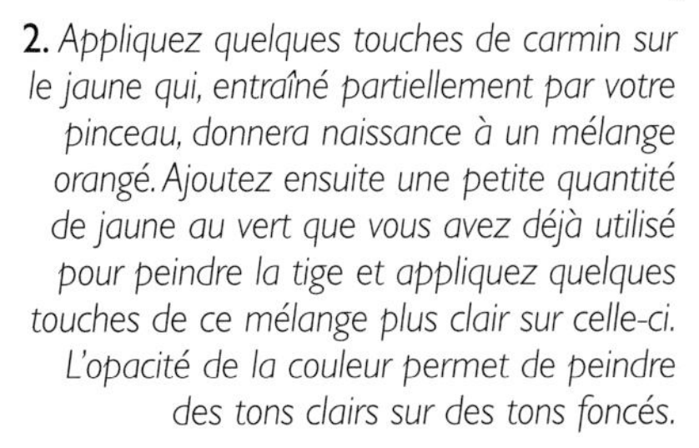

◀ 2. *Appliquez quelques touches de carmin sur le jaune qui, entraîné partiellement par votre pinceau, donnera naissance à un mélange orangé. Ajoutez ensuite une petite quantité de jaune au vert que vous avez déjà utilisé pour peindre la tige et appliquez quelques touches de ce mélange plus clair sur celle-ci. L'opacité de la couleur permet de peindre des tons clairs sur des tons foncés.*

UNE PALETTE PLUS RICHE EN COULEURS

Après avoir exécuté l'exercice précédent, il convient d'employer une palette plus riche car certaines nuances sont difficiles à obtenir à partir des trois couleurs primaires et requièrent l'intervention d'autres couleurs. En général, le peintre amateur qui débute dans le domaine de la peinture à l'huile a tendance à disposer les couleurs au hasard sur la palette, ce qui est une erreur. En effet, les mélanges et l'application des couleurs seront plus ou moins faciles à réaliser selon leur disposition sur la palette.

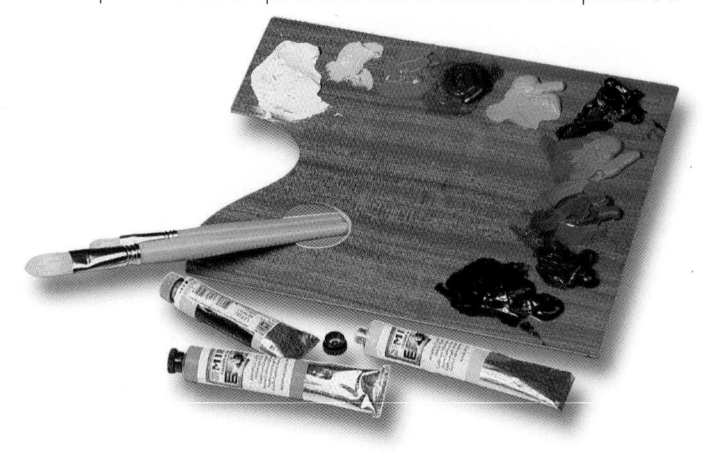

▼ *Ci-dessus, une répartition classique des couleurs sur la palette. En premier lieu, le blanc, en quantité suffisante, puis par ordre tonal et chromatique croissant, le jaune, le rouge et le carmin. Viennent ensuite les couleurs terre, c'est-à-dire l'ocre et la terre d'ombre brûlée, puis le vert, le bleu, le bleu foncé et le noir.*

▼ *Pour effectuer les mélanges de façon appropriée, il vous suffit de déplacer une partie de la première couleur – la quantité dont vous pensez avoir besoin, pas plus – vers le centre de la palette, puis d'étaler la seconde vers le centre et de mélanger les deux tons jusqu'à ce que vous obteniez une couleur homogène. Vous pouvez ensuite continuer à ajouter des couleurs pour créer les tons souhaités.*

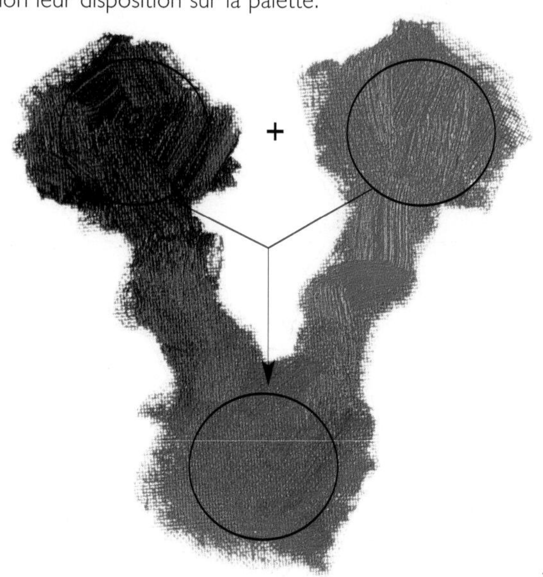

▼ *L'une des erreurs les plus courantes des peintres débutants consiste à utiliser le blanc pour obtenir des couleurs lumineuses, alors qu'il sert à rabattre des tons et à créer des points de lumière maximale. Un simple exemple à partir d'une tache de couleur carmin suffira à vous éclairer. La tache ci-dessus a été éclaircie en y ajoutant du rouge : le ton obtenu est plus clair, mais d'une grande force chromatique. La tache ci-dessous a été rabattue à l'aide de blanc : le résultat obtenu est un rose pastel.* ▲

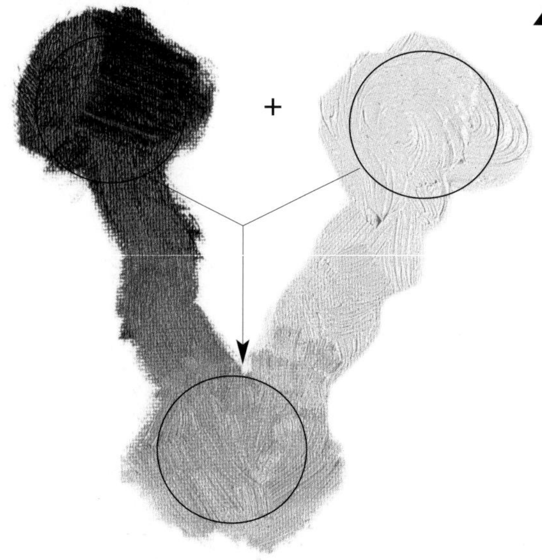

COMPOSITION DES COULEURS

Les couleurs élémentaires sont celles que nous avons mentionnées dans le premier paragraphe de ce thème, c'est-à-dire le jaune, le bleu et le carmin. Mélangées, ces couleurs primaires donnent naissance à des couleurs secondaires : le jaune et le carmin donnent du rouge, le jaune et le bleu du vert, et le bleu et le carmin des tons violacés.

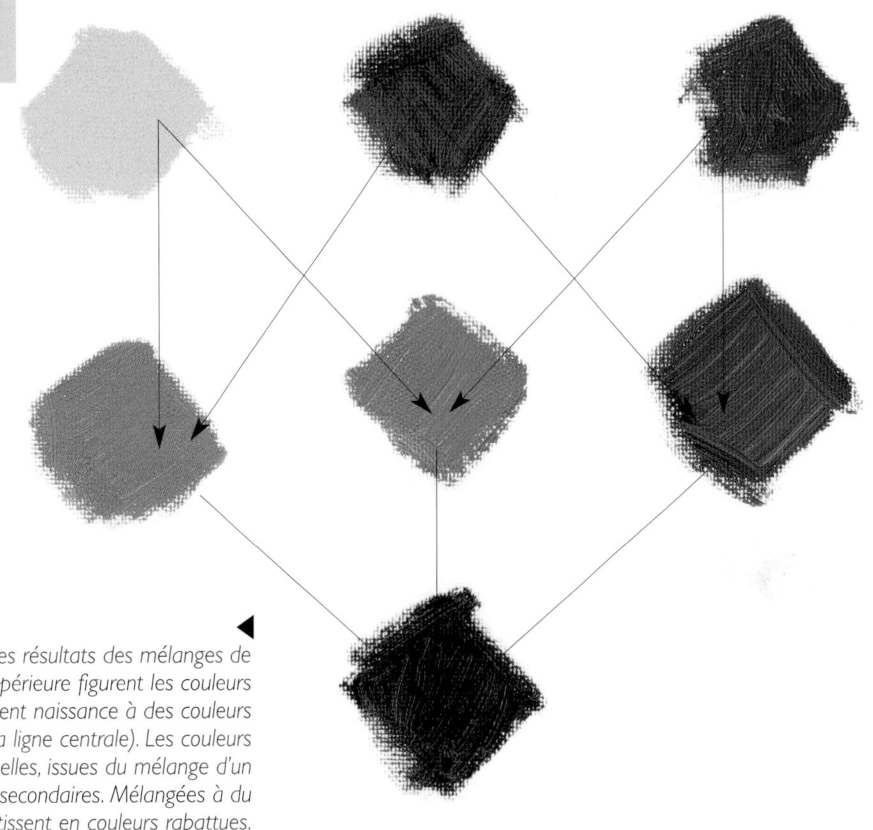

Cette illustration montre les résultats des mélanges de couleurs. Dans la partie supérieure figurent les couleurs primaires qui, mélangées, donnent naissance à des couleurs secondaires (celles de la ligne centrale). Les couleurs tertiaires sont, quant à elles, issues du mélange d'un minimum de deux couleurs secondaires. Mélangées à du blanc, elles se convertissent en couleurs rabattues.

Il n'existe pas de couleur exacte pour un objet donné, mais, bien souvent, le peintre a inconsciemment tendance à associer une couleur déterminée à un objet, qu'il s'agisse d'un arbre ou d'une orange. La première couleur qui vient à l'esprit lorsque l'on pense à une orange est précisément la couleur orange. C'est un a priori qu'il convient de combattre, car la couleur de tout objet est composée d'un grand nombre de tons. De plus, c'est la lumière qui enveloppe l'objet qui détermine le ton vers lequel tend sa couleur. Observez cette orange : sa peau peut effectivement être de couleur orange, mais uniquement dans certaines conditions. Placée près d'un objet bleu, sa zone d'ombre ne sera pas orange, mais aura tendance à se charger en tonalités bleues ou même violacées.

GAMMES HARMONIQUES

Les couleurs peuvent être regroupées selon leur timbre et leur ton chromatiques, et forment ainsi trois gammes harmoniques : la gamme froide, la gamme chaude et la gamme rabattue. La première est composée des couleurs qui semblent dégager une certaine chaleur ; il s'agit des rouges, des roses, des carmins, des oranges et de leurs mélanges. Les couleurs terre, c'est-à-dire les marrons et l'ocre, sont également considérées comme des couleurs chaudes. Les couleurs de la gamme froide sont les verts, les bleus et les violets. Celles de la gamme rabattue sont les gris obtenus par mélange et ajout de blanc sur la palette.

▶ *Les couleurs chaudes sont composées de carr et de jaune, mais cette gamme est bien plus éter si l'on considère les mélanges entre ces couleurs e les tons terre. La gamme chaude comprend donc couleurs suivantes : les jaunes, les oranges, les rou, les carmins et les couleurs dites « terre », c'est-à- l'ocre, la terre de Sienne et la terre d'ombre brûlé Sur l'exemple ci-contre, les couleurs froides, par exemple le vert, ont été mélangées avec du rouge pour leur donner une tonalité plus chaude.*

La gamme rabattue est composée de couleurs rendues grises ou cassées. L'emploi simultané d'une couleur sale et de couleurs propres et pures a pour résultat un mélange sale, mais lorsqu'elle s'utilise uniquement avec des couleurs cassées ou rabattues, la gamme picturale obtenue est d'une grande beauté. Les couleurs rabattues s'obtiennent en mélangeant deux couleurs secondaires en y ajoutant du blanc.

▶ *Les couleurs de base de la gamme froide sont le jaune et le bleu, mais grâce à leurs mélanges, elles constituent en réalité une gamme chromatique très étendue. Si vous ajoutez une plus ou moins grande quantité de rouge aux tons issus de ces mélanges, vous obtiendrez la gamme des violets. La gamme froide est donc composée des verts, des jaunes verdâtres et des violets.*

pas à pas

Paysage et couleurs primaires

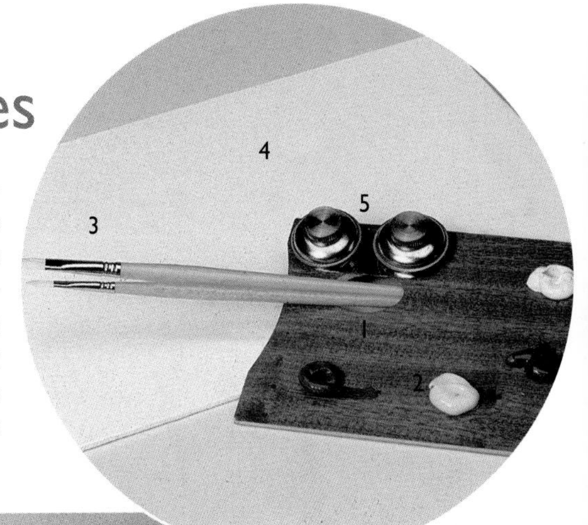

Il suffit de disposer de trois couleurs et de blanc pour obtenir la majorité des couleurs existant dans la nature. Le paysage de falaises que nous avons choisi ici vous permettra de le vérifier. Prêtez attention à toutes les phases de l'exercice et ne vous découragez pas pendant les étapes intermédiaires. Les touches de couleur vous donneront peut-être l'impression de se feutrer pendant la phase initiale ; le cas échéant, ne vous inquiétez pas. Vous ne rencontrerez aucune difficulté au cours de cet exercice si vous suivez attentivement les indications relatives à chacune des étapes. Prêtez une attention particulière au mélange des couleurs sur la palette.

MATÉRIEL NÉCESSAIRE

Palette (1), couleurs à l'huile : blanc, bleu, carmin et jaune (2), pinceaux en soie de porc (3), carton entoilé (4), godets contenant de l'huile de lin et de l'essence de térébenthine (5).

1. *Trempez le pinceau dans l'essence de térébenthine, en évitant que celle-ci ne coule, et égouttez-le. Frottez ensuite la touffe du pinceau sur la palette pour l'imprégner de couleur bleue et commencez à peindre sur le carton entoilé. Tracez tout d'abord la ligne inférieure, puis schématisez la forme des falaises. Ne vous inquiétez pas si vous avez à retoucher ces traits ; la couleur à l'huile est une technique très flexible en ce qui concerne les retouches. Peignez ensuite les contours des nuages.*

2. Préparez un mélange composé essentiellement de blanc et d'un petit peu de bleu sur votre palette. Une quantité minime de bleu suffit pour que le blanc acquiert une tonalité céruléenne. Commencez par la partie supérieure du ciel où le blanc des nuages est plus évident. Ajoutez une touche de carmin au mélange au fur et à mesure que vous définissez la forme des nuages ; la tonalité ainsi obtenue se rapprochera du violet. Utilisez ce ton pour peindre la zone la plus sombre des gros nuages.

3. Prenez maintenant une petite quantité de bleu et ajoutez-y du blanc jusqu'à ce que vous obteniez une tonalité beaucoup plus lumineuse et dense que celle des nuages. Utilisez ce nouveau mélange, qui ne doit pas contenir de carmin, pour peindre le bleu du ciel. Peignez ensuite la partie supérieure des nuages les plus bas à l'aide d'un blanc presque pur. Mélangez du carmin et du jaune jusqu'à ce que vous obteniez un ton orangé, puis ajoutez-y une petite quantité de bleu pour casser le mélange et commencez à peindre les falaises.

4. La partie droite des falaises doit être peinte à l'aide de différentes couleurs issues de mélanges effectués sur la palette : un mélange de jaune et de bleu vous donnera du vert, alors que si vous utilisez du bleu et du carmin, vous obtiendrez un violet, dont la tonalité tendra vers la couleur prédominante. Un mélange de jaune et de carmin vous donnera un rouge susceptible de se convertir en un ton orangé si la quantité de jaune est plus élevée. Pour obtenir la couleur rabattue de la zone droite des falaises, utilisez du vert auquel vous aurez ajouté une petite quantité de violet. Mélangez ensuite du vert et du jaune pour obtenir un vert jaunâtre, ajoutez-y un ton orangé, puis éclaircissez-le légèrement à l'aide de blanc ; utilisez ce mélange pour peindre les tons plus clairs de la partie gauche des falaises.

5. *Vous avez déjà eu l'occasion de mélanger des couleurs rabattues au cours des phases précédentes. Vous allez maintenant devoir utiliser des tonalités rabattues plus foncées que les couleurs initiales de chacune des zones pour définir les contrastes des parois rocheuses. Préparez un mélange de carmin et de blanc et ajoutez-y une petite quantité de jaune pour obtenir un ton rosâtre que vous appliquerez sur la partie la plus lumineuse des falaises.*

Plus l'exécution du tableau est avancée, plus les touches de couleur peuvent être épaisses et grasses, jusqu'à ce qu'elles ne renferment plus d'essence de térébenthine.

6. *Les verts de la zone inférieure doivent être légèrement rabattus. Préparez tout d'abord un mélange homogène de jaune et de bleu sur la palette pour obtenir le vert, puis rabattez ce ton et donnez-lui un caractère plus terreux en y ajoutant une petite quantité de carmin et de blanc. Appliquez ce mélange en introduisant quelques variations de tonalité dans certaines zones et en l'assombrissant grâce à un petit ajout de bleu. Représentez les maisons situées au pied des falaises à l'aide de quelques touches de blanc qui entraîneront une partie de la couche précédente, vous obtiendrez ainsi des couleurs légèrement sales.*

7. *Pour terminer, il ne vous reste plus qu'à rehausser légèrement les contrastes des falaises à l'aide de tons foncés, qui vous permettront également de souligner les contours des maisons blanches pour les faire ressortir sur le fond.*

Ainsi se termine la représentation de ce paysage simple qui vous a permis de vous exercer intensément au mélange des couleurs primaires.

SCHÉMA-RÉSUMÉ

Les parties les plus blanches des nuages s'obtiennent à l'aide d'un mélange composé de blanc et de très peu de bleu.

Il convient d'ajouter du blanc pour donner une tonalité grisâtre **aux tons les plus clairs** situés sur la gauche.

Les tonalités verdâtres de la zone inférieure s'obtiennent en mélangeant du bleu, du jaune et une petite quantité de carmin.

La couleur orangée des falaises s'obtient en mélangeant du carmin, du jaune et une pointe de bleu.

La schématisation s'effectue directement à la couleur à l'huile bleue.

Les maisons du village sont représentées par de petites touches de blanc.

THÈME

2 Le coup de pinceau

LES PINCEAUX ET LEURS TRACES

Le type de trace résultant de l'application de la peinture sur le support dépend de l'outil employé, car toute couleur étalée sur une surface laisse derrière elle une empreinte caractéristique. L'un des sujets que nous allons traiter dans ce thème sera l'effet des différents types de coups de pinceau. Nous étudierons ensuite leur application pratique. Comme nous l'avons vu dans la première partie de cet ouvrage, il existe de nombreux types de pinceaux et chacun d'entre eux possède une fonction spécifique en ce qui concerne le tracé.

La couleur à l'huile présente non seulement un toucher onctueux, mais aussi une texture très douce qui peut être modelée au pinceau. La touffe du pinceau imprégnée de couleur à l'huile peut intervenir de différentes façons sur le support et donner lieu à divers types de tracés : des lignes, des taches et toute une série d'effets qui, dans leur ensemble, permettent de créer différents types de textures.

▶ 1. *Imprégnez la touffe du pinceau de couleur à l'huile et étalez celle-ci sur la toile. La longueur du tracé dépend de la quantité de couleur susceptible d'être retenue par la touffe. C'est la raison pour laquelle il convient de choisir le pinceau en fonction du type d'intervention à effectuer. L'exemple ci-contre vous montre un tracé réalisé à l'aide d'un petit pinceau plat. Ce type de pinceau permet d'obtenir un tracé aux contours réguliers.*

◀ 2. *Pour réaliser une transition douce entre deux couleurs, il est important de vous assurer que les tons d'origine sont parfaitement propres avant que leurs limites n'entrent en contact et qu'aucune autre couleur n'empiète sur celles-ci. Il s'agit de la première phase du mélange de deux couleurs par fusion. Cette technique permet d'ajouter de nombreux tons aux couleurs appliquées.*

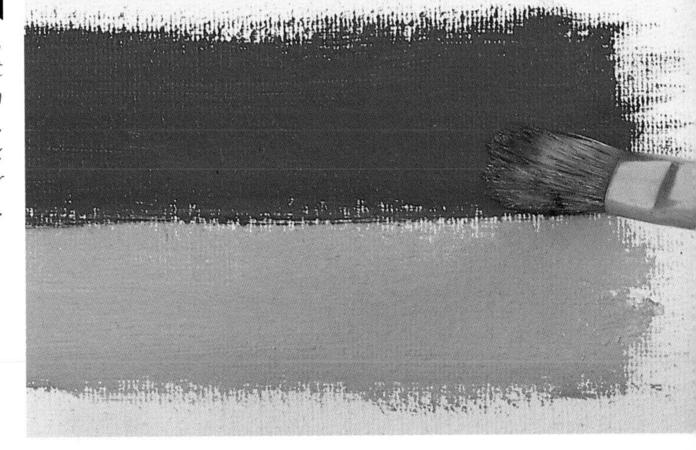

▶ 3. *Pour fondre ces deux couleurs encore fraîches, passez le pinceau sur chacune d'entre elles à plusieurs reprises. Vos coups de pinceau doivent être longs et entraîner une partie de chaque couleur vers la couleur adjacente. Lorsque vous aurez passé le pinceau plusieurs fois dans le sens horizontal, sans le recharger, les deux couleurs se fondront en un dégradé doux et progressif.*

▼ 1. *Nous vous proposons ici un exemple simple qui vous permettra d'acquérir une certaine pratique du maniement du pinceau, mais aussi du passage d'un ton à l'autre grâce à l'ajout d'une couleur à la couleur d'origine déposée sur la palette. Peignez tout d'abord un trait jaune sur le support, à l'aide d'un pinceau plat ; ajoutez ensuite du rouge sur la palette et mélangez-le au jaune pour obtenir un ton orangé. Appliquez celui-ci sur le trait jaune peint sur le support, d'un seul coup de pinceau pour éviter d'entraîner la couche précédente ; la touche de couleur doit ici se terminer de façon linéaire. Répétez cette opération en employant de moins en moins jaune, jusqu'à ce que vous n'utilisiez plus que du rouge.*

▼ 2. *Ces touches de couleur ne se terminent pas de la même façon que les précédentes car le pinceau utilisé est différent : il s'agit d'un pinceau langue de chat. Cet exercice doit être réalisé à l'aide de tons froids. Déposez tout d'abord du bleu sur votre palette et ajoutez-y une petite quantité de blanc ; utilisez ce mélange pour peindre les premiers traits bleus. Superposez-y ensuite des taches bleu foncé, puis ajoutez de nouveaux tons, en évitant qu'ils ne se mélangent avec les couches précédentes. Comparez l'aspect final de cet exercice et celui du précédent.*

EMPLOI DES PINCEAUX

Certaines zones du tableau peuvent requérir un coup de pinceau permettant la fusion des couleurs, alors que d'autres, au contraire, demandent des coups de pinceau superposés donnant lieu à de petits tracés parfaitement visibles. La possibilité d'obtenir ou non un tracé présentant ces caractéristiques dépend du type de pinceau utilisé. Certains permettent de poser de petites taches de couleur, d'autres de petites marques, et d'autres encore s'avèrent parfaitement appropriés pour peindre des surfaces homogènes. Comme vous pourrez le constater ci-après, le pinceau permet d'obtenir toutes sortes de tracés qui, en définitive, constituent la principale ressource de la peinture.

Les caractéristiques du coup de pinceau peuvent varier en fonction de la densité de la peinture, de la capacité du pinceau à étaler la couleur et de l'état des couches précédentes. Selon ces caractéristiques, le peintre aura la possibilité de faire fusionner les couleurs ou, au contraire, de les superposer.

3. *Les caractéristiques des touches de couleur dépendent de la façon dont le peintre utilise le pinceau pour les poser. Le tracé peut être doux ; les traces des soies du pinceau seront alors à peine visibles. Dans d'autres cas, comme dans l'exemple ci-dessous, la couleur peut être posée avec l'extrémité du pinceau ; les taches de couleur seront alors de taille réduite, très épaisses et superposées.* ▲

TRACÉS ET TACHES DE COULEUR

Chaque pinceau présente une caractéristique qui s'exprime par les propriétés de son tracé sur la toile vierge ou sur les couches précédentes. Nous vous proposons ici d'employer diverses techniques de fondu et d'étudier la façon dont chaque type de touche de couleur peut être utilisé pour exécuter les différentes zones d'un tableau. Ce simple exemple vous permettra de découvrir la finalité de chaque type de pinceau : entraînement ou fondu de couleurs.

1. *Avant de peindre les plans les plus étendus, qui doivent être exécutés en premier lieu, il est indispensable que vous sachiez quelle sera la seconde couleur à appliquer et si vous allez réaliser une fusion ou une superposition de tons. Vous devez également tenir compte de l'endroit où doit commencer la seconde couleur.*

▲

▼

2. *Tout comme dans la première partie de ce thème, dans laquelle nous avons vu un exemple de fusion des couleurs, nous vous proposons ici de vous exercer à fondre les limites de deux zones. La seconde couleur devant empiéter très légèrement sur la première, vous ne pouvez pas effectuer cette opération à l'aide du pinceau épais, il faut utiliser un pinceau moyen.*

◀

3. *L'exemple ci-contre montre deux façons de traiter les zones. Comme vous pouvez le constater, et contrairement aux deux premières couleurs, les deux tons situés au premier plan ne présentent pas de zone de fusion ; ils sont superposés. Tous les plans ne doivent pas recevoir le même traitement : certains tons doivent fusionner, d'autres se superposer.*

▶ 1. *Esquissez tout d'abord la ligne d'horizon ; la zone supérieure ainsi délimitée, qui correspond au ciel, occupera alors une grande partie du paysage. Peignez cette surface à l'aide d'un pinceau assez épais. Il vous suffira de quelques coups de pinceau pour couvrir toute cette zone, y compris les contours du ciel sur les montagnes. Les touches de couleur doivent être longues et uniformes et l'épaisseur de la couche doit être constante.*

EMPÂTER ET ADOUCIR

Les touches de couleur peuvent acquérir des caractéristiques très diverses selon la façon dont vous passez le pinceau sur la toile et selon l'apport en couleur. Imaginons que vous appliquiez une couche de couleur épaisse sur une surface que vous venez de peindre : votre pinceau entraînera une partie de la couche précédente et celle-ci se déplacera en même temps que la couleur que vous êtes en train d'appliquer. Au contraire, si vous peignez de petites touches précises sans frotter la couche précédente encore fraîche, le mélange entre les deux couches sera minime.

▶ 2. *L'exécution de cette zone ne requiert pas l'emploi d'un pinceau particulier ; vous pouvez utiliser n'importe quel pinceau moyen, langue de chat ou plat. Assurez-vous qu'il est propre, imprégnez-le d'une petite quantité de blanc et posez de longues touches horizontales blanches sur le fond bleu. Peignez ensuite les montagnes situées dans le fond dans un ton terre de Sienne brûlée, en déplaçant une partie de la couleur du ciel vers la partie supérieure des montagnes. Cette opération vous permettra de créer un effet de structure.*

▶ 3. *Peignez la partie située aux pieds des montagnes à l'aide d'un pinceau fin. Le tracé de cette zone combine l'emploi du vert, du jaune et du marron ; vos coups de pinceau doivent être longs. Les tons et les couleurs se fondent en raison de la superposition des couches et du passage du pinceau, qui entraîne les tons. Peignez la zone située au premier plan à l'aide d'un pinceau moyen, en appliquant de longues touches de vert lumineux ; la couche de peinture ne doit pas être épaisse puisque le but recherché est uniquement de recouvrir rapidement cette zone. Représentez la structure de l'herbe à petits coups de pinceau très courts et verticaux.*

pas à pas

Fruits

Nous vous proposons ici un exercice simple, tant en ce qui concerne le dessin que la composition. Les formes de cette nature morte sont très élémentaires ; elles sont toutes de type circulaire. Cet exemple vous permettra d'acquérir une certaine pratique du coup de pinceau et de la pose des couleurs. Contrairement à celui que vous avez exécuté dans le thème précédent et comme vous pourrez le constater dans chacune des phases décrites, ce modèle demande une approche plus précise des formes et une étude plus approfondie du coup de pinceau. Pour faciliter le travail, nous avons choisi d'employer une gamme de couleurs très réduite.

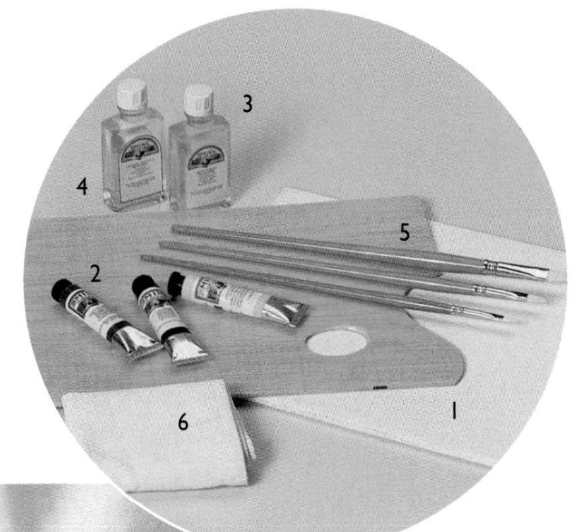

MATÉRIEL NÉCESSAIRE

Carton entoilé (1), couleurs à l'huile (2), huile de lin (3), essence de térébenthine (4), pinceaux (5) et chiffon (6).

1. *Le schéma initial de cette nature morte étant très simple, il est inutile de le dessiner au crayon à papier, vous pouvez le tracer directement à la couleur à l'huile. Dans le cas de sujets un peu plus complexes, n'importe quel moyen pictural peut être utilisé pour esquisser les lignes principales. La couleur doit être très maigre, c'est-à-dire fortement diluée dans de l'essence de térébenthine. D'un tracé rapide, ébauchez les trois fruits. Toutes les retouches peuvent être effectuées en repassant le pinceau sur les contours des fruits, sans qu'il soit nécessaire d'effacer les premières touches de couleur.*

2. *La forme des fruits étant ébauchée, vous pouvez commencer à définir les premiers tons. La première intervention consiste à harmoniser le fond. Utilisez une couleur cassée, c'est-à-dire un mélange de couleurs sales issues de votre palette. Si celle-ci est propre, vous obtiendrez ce ton en mélangeant du vert, de la terre d'ombre et du blanc. Peignez la zone foncée de la grenade et la partie supérieure de la prune. Utilisez ensuite un ton carmin violacé pour peindre la partie la plus éclairée de la grenade, en laissant la zone du reflet en blanc.*

3. *Utilisez le même ton carmin violacé pour peindre les prunes ; la zone grise de la prune sépare les deux fruits. Repassez votre pinceau à plusieurs reprises sur la grenade pour fondre les couleurs et souligner la forme sphérique de ce fruit. Commencez ensuite à peindre la nappe à l'aide d'un mélange essentiellement composé de blanc, auquel vous ajouterez une petite quantité de carmin violacé, de vert et de bleu. Ce mélange ne doit pas être uniforme, il doit présenter des différences de tons.*

4. *Soulignez la forme sphérique de la grenade à l'aide de tracés arrondis qui vous permettront de définir le plan. La couleur s'éclaircira légèrement lorsque vous passerez votre pinceau sur la zone grisâtre, car celui-ci entraînera une partie des couches précédentes. Commencez à séparer les zones de lumière en appliquant des touches de violet foncé mélangé à une petite quantité de bleu de cobalt sur les parties les plus sombres. Utilisez ce ton, auquel vous aurez ajouté une pointe de bleu outremer, pour peindre la zone de la nappe située au premier plan ; ces coups de pinceau entraîneront, eux aussi, une partie de la couche précédente*

5. *Appliquez une touche de carmin très directe sur la prune située sur la gauche. Les couleurs du côté droit du fruit doivent être froides et bleutées, alors que celles du côté gauche doivent être beaucoup plus chaudes. Le point de lumière doit vous servir de référence pour déterminer l'emplacement des tons les plus foncés. Éclaircissez légèrement les tons bleutés de la zone la plus brillante en y ajoutant du blanc. Procédez de même pour le carmin violacé avec lequel vous peindrez les zones les plus lumineuses de la grenade. Tracez quelques lignes bleutées sur la nappe pour souligner la présence des plis.*

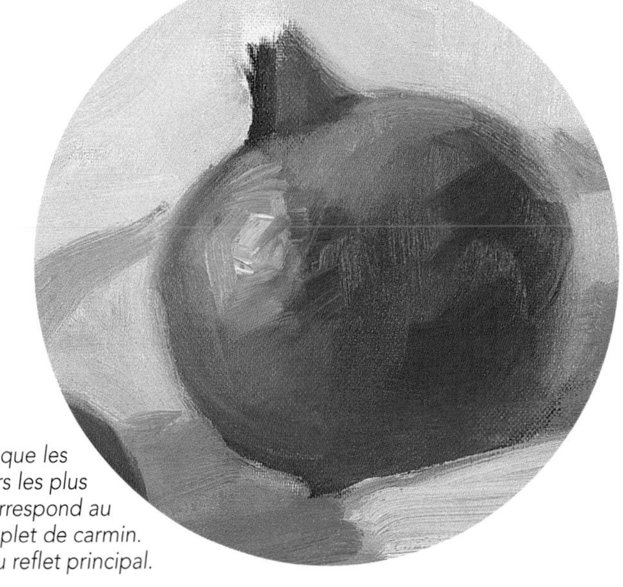

6. *Observez le détail ci-contre : vous constaterez que les tons clairs délimitent les zones sombres. Les couleurs les plus lumineuses de la grenade vont du blanc, qui correspond au point de lumière maximale, à un dégradé complet de carmin. Appliquez quelques touches de bleu près du reflet principal.*

7. Renforcez les zones lumineuses de la grenade à l'aide de tonalités orangées qui contrasteront avec le carmin pur. Pour éviter que les tons lumineux obtenus à partir de carmin et de rouge présentent une tonalité rose, il convient de rabattre ce ton, non pas avec du blanc, mais avec du jaune de Naples. La définition finale de la forme sphérique des prunes s'effectue à l'aide de tons foncés. Ainsi se termine cet exercice qui vous a permis de vous exercer à une grande variété de tracés, directs et de fusion.

SCHÉMA-RÉSUMÉ

Le **schéma initial** s'effectue directement au pinceau et à la couleur à l'huile. Le tracé doit être direct et la peinture très maigre, c'est-à-dire fortement diluée dans de l'essence de térébenthine.

Il convient d'appliquer **une couleur grisâtre très maigre** sur la prune située sur la gauche et sur la grenade, puis de fondre quelques-uns des tons de cette zone.

Les zones de reflets des **prunes et de la grenade doivent être laissées en blanc** pour servir de points de référence. Quelques impacts très lumineux permettront plus tard de les intégrer à l'ensemble.

La mise en œuvre de **la zone foncée de la prune** s'effectue à l'aide de violet foncé et de bleu de cobalt. Il convient d'insister avec le pinceau pour fondre les tons.

THÈME

3 Schématisation et plans

SCHÉMATISATION ET COMPOSITION : COULEURS À L'HUILE ET FUSAIN

La schématisation est une technique qui permet de transformer les éléments complexes d'un sujet en d'autres éléments beaucoup plus simples. Il faut avant tout observer attentivement les formes et tenter de découvrir en elles les tracés les plus simples susceptibles de les définir. Nous vous proposons ici quelques exercices de mise en œuvre de divers modèles à partir de la schématisation de leurs lignes essentielles. Vous verrez comment ces objets peuvent être compris à partir d'éléments plus simples.

Le modèle doit être considéré comme une succession d'objets situés sur différents plans, même s'il n'est pas indispensable de représenter chacun d'eux. Dès le début, il convient d'observer l'emplacement de chaque élément. La représentation du modèle risque de se convertir en une tâche complexe si vous tentez de passer directement à la peinture, sans schématisation préalable. Le schéma a pour objectif de synthétiser les objets réels sous la forme d'éléments très simples et faciles à dessiner.

▼ 1. *Ce schéma représente un exemple de répartition logique des objets sur le support. Nous vous proposons de vous en inspirer pour élaborer une nature morte. Chaque cube contiendra un élément plus sophistiqué.*

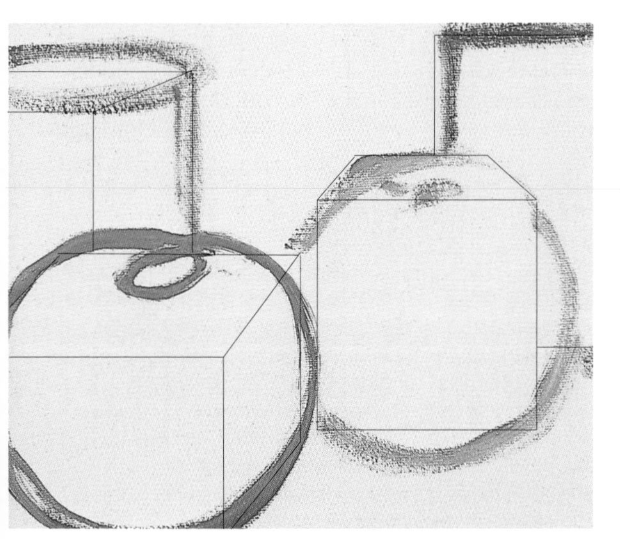

▶ 2. *Le schéma précédent servira de base à l'exécution d'une nature morte. Commencez par le cube situé au premier plan ; peignez un cercle de couleur rougeâtre, qui se convertira plus tard en un fruit. Le tracé doit être rapide et direct, et assez maigre pour que la couleur soit facile à appliquer sur le carton entoilé. Passez au plan suivant et tracez-y une seconde forme sphérique de couleur orangée ; celle-ci viendra se superposer partiellement à la première. Ébauchez ensuite, en marron et de façon très schématique, la forme des deux récipients situés dans le fond.*

3. *Les formes principales étant schématisées, vous pouvez commencer à définir les couleurs. Leur application doit être progressive et respecter le schéma initial des formes. L'élaboration des éléments les plus proches doit être plus poussée que celle des objets les plus éloignés.* ▲

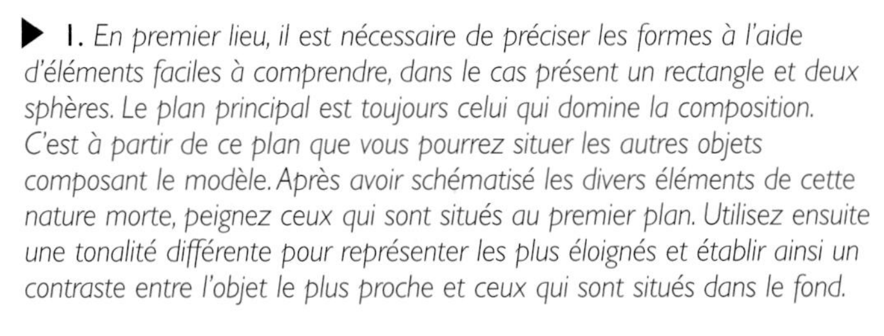

▶ 1. *En premier lieu, il est nécessaire de préciser les formes à l'aide d'éléments faciles à comprendre, dans le cas présent un rectangle et deux sphères. Le plan principal est toujours celui qui domine la composition. C'est à partir de ce plan que vous pourrez situer les autres objets composant le modèle. Après avoir schématisé les divers éléments de cette nature morte, peignez ceux qui sont situés au premier plan. Utilisez ensuite une tonalité différente pour représenter les plus éloignés et établir ainsi un contraste entre l'objet le plus proche et ceux qui sont situés dans le fond.*

SIMPLIFIER LES OBJETS SOUS LA FORME D'ÉLÉMENTS GÉOMÉTRIQUES

Pour tout travail à la peinture à l'huile, il faut d'abord considérer l'ensemble avant de se consacrer aux détails ; les premiers tracés doivent être de simples ébauches ayant pour objectif de schématiser des lignes générales qui, plus tard, se convertiront en formes définitives. Le travail à la couleur doit, lui aussi, être d'abord traité de façon générale, sans tenir compte des détails. La schématisation et la pose de taches de couleur sont deux concepts d'évolution intimement liés à l'échelle du tableau.

▶ 2. *Grâce à la schématisation préalable et à l'application progressive de la couleur, les objets peints à l'huile peuvent être définis ou suggérés à l'aide de touches isolées se mélangeant avec les couleurs du fond. Il convient de peindre les objets qui ne se trouvent pas au premier plan, ici les pommes, dans des tonalités nettement différentes pour que le premier plan contraste avec ces couleurs et celles du fond.*

L'onctuosité de la peinture à l'huile permet d'obtenir des fondus en utilisant uniquement les couleurs déjà appliquées. En passant le pinceau à plusieurs reprises sur la toile, il est possible de rompre totalement les formes, qui donnent alors l'impression d'être floues.

▶ 3. *L'importance de la première phase de schématisation est évidente dans cet exercice. Vous constaterez que la schématisation s'avère tellement essentielle qu'il est souvent impossible de représenter un modèle sans passer par l'exécution d'une ébauche préalable des formes. Après avoir appliqué les couleurs sur les objets parfaitement définis, estompez les contours des pommes pour faire ressortir la différence entre les plans.*

TIRER PARTI DE LA SCHÉMATISATION

La schématisation est l'un des thèmes les plus importants du domaine de la peinture. L'exécution d'un schéma correct est la phase préalable à tout dessin et à toute peinture, quel que soit le procédé pictural choisi.

Nous vous proposons ici un exercice court, un exemple de mise en œuvre des touches de couleur situées au premier plan après exécution du schéma principal. Vous y découvrirez comment tirer parti de la schématisation pour la convertir en une phase de développement pictural complète.

1. *Après avoir ébauché très schématiquement la forme principale, peignez l'intérieur de l'objet à l'aide de couleurs correspondant à la base chromatique. Étant donné qu'il s'agit d'une schématisation directe, il convient de différencier nettement les zones de lumière, qui doivent rester en blanc, et les zones d'ombre.*

2. *À coups de pinceaux courts et horizontaux, appliquez des touches de couleur sur la couche initiale, dans la partie frontale la plus lumineuse de l'objet. Vous pouvez apporter des modifications internes en ce qui concerne la forme des objets, mais il est important de respecter le schéma initial. L'illustration ci-dessous est un détail de ce qui pourrait être une nature morte beaucoup plus travaillée. La schématisation permet de définir chacune des formes, chacun des plans et chacune des vues de l'objet.*

3. *Au fur et à mesure de la construction de la forme, posez de longues touches verticales de couleur sur les plans latéraux. En l'absence de schématisation de la forme externe et de réserve du reflet, les différentes zones n'auraient pas pu être exécutées avec autant d'assurance.*

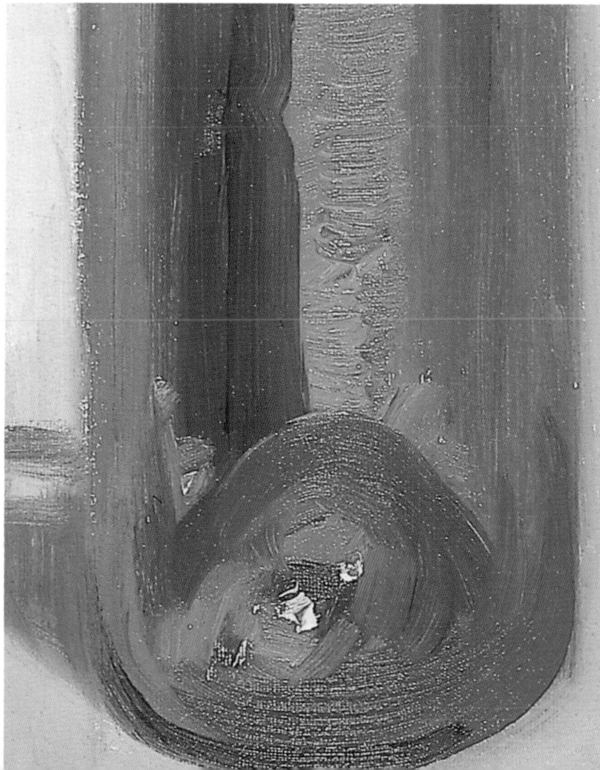

UN SCHÉMA POUR CHAQUE MÉTHODE DE TRAVAIL

La répartition des objets sur le support permet d'envisager différentes possibilités en ce qui concerne la schématisation des éléments composant le modèle. Le schéma devra être plus ou moins développé selon la précision avec laquelle chacun des objets devra être représenté.

▼

1. *Le schéma initial de ce paysage assez simple a permis au peintre de situer chaque élément et de définir les différents points de luminosité.*

2. *La couleur à l'huile vous offre la possibilité de résumer parfaitement les formes à l'aide d'une simple schématisation. Les arbres les plus éloignés sont représentés sous la forme de taches de couleur à peine suggérées, alors que l'élaboration des arbres situés au premier plan est plus poussée : leurs contours sont ébauchés. La taille des éléments les plus éloignés doit être inférieure à celle des éléments les plus proches. Des touches de couleur fraîches et directes permettent de suggérer les formes.*

▲

▼ 3. *Les points lumineux les plus importants doivent être traités comme de petites taches directes de couleur ou comme des reflets purs. L'exercice de schématisation que nous vous proposons ici est basé sur cette caractéristique. Un tracé libre vous permettra de définir les formes principales. Cela étant fait, il vous faudra assombrir toute la surface du fond pour isoler les principaux points de lumière, centrés ici sur les objets.*

▶ 4. *Le ton sombre du fond isole les principaux éléments, dont la forme est maintenant parfaitement définie. Quelques touches libres, qui ne doivent pas se mélanger avec les couches précédentes, vous permettront de résoudre le problème des points de lumière. Concentrez-vous ensuite sur les couleurs et les reflets du plan principal. Les contrastes doivent être bien marqués. Vous devez favoriser le jeu des contrastes complémentaires en faisant ressortir les couleurs sombres à l'aide de tons clairs et vice versa.*

pas à pas

Bouteilles et nappe

L'ébauche du modèle, c'est-à-dire sa schématisation, est l'une des questions fondamentales qui se pose dès le début du processus. Quel que soit le sujet choisi, aussi simple soit-il, le travail du peintre doit comporter une première phase destinée à situer correctement les principales lignes de la structure des objets ou les formes qui seront traitées. La schématisation des formes étant terminée, il est important de tenir compte du fait que les plans les plus proches doivent être mieux définis que les plans éloignés. Chacun des plans du modèle requiert un traitement différent, tant en ce qui concerne le coup de pinceau que la couleur.

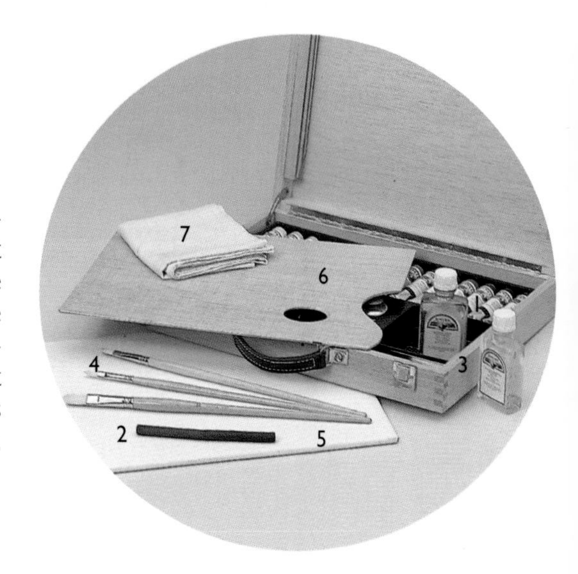

MATÉRIEL NÉCESSAIRE

Couleurs à l'huile (1), fusain (2), huile de lin et essence de térébenthine (3), pinceaux (4), carton entoilé (5), palette (6) et chiffon de nettoyage (7).

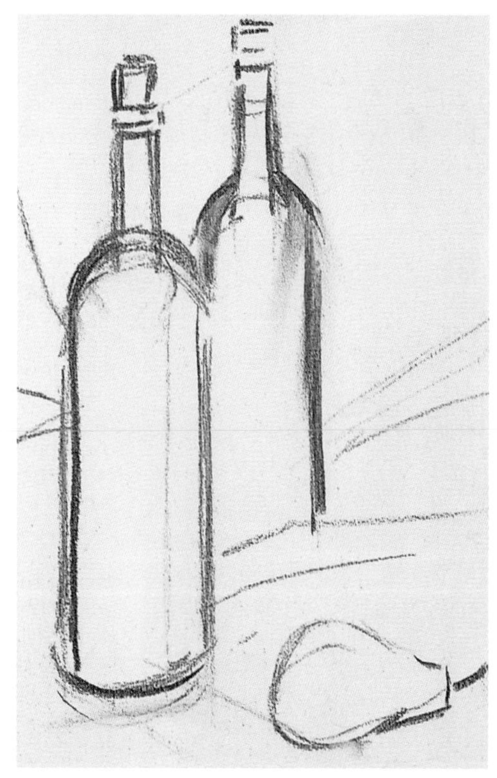

1. *Ce premier schéma permet de définir la répartition des différents éléments sur le tableau. La bouteille verte étant l'objet le plus éloigné, les principaux éléments de cette composition sont la bouteille de couleur marron et la poire. Le schéma doit être concis et comporter uniquement les lignes essentielles. Il faut définir suffisamment les formes dès le début car étant donné qu'il s'agit d'objets symétriques, les bouteilles sont assez compliquées à réaliser.*

2. *Commencez à peindre la zone correspondant au fond dans un ton bleu que vous aurez fortement rabattu en y ajoutant du blanc. Peignez la partie de la nappe située au premier plan à l'aide d'un pinceau très sec, en vous contentant de suggérer les zones d'ombre. Utilisez un mélange de terre de Sienne et de rouge anglais pour peindre la première bouteille. Ne mélangez pas ces deux couleurs sur la palette, mais prélevez une petite quantité de chacune d'entre elles sur votre pinceau et mélangez-les directement sur la toile, en déplaçant le rouge anglais vers la terre de Sienne. Pour le moment, laissez les zones correspondant aux reflets en blanc ; vous les peindrez plus tard.*

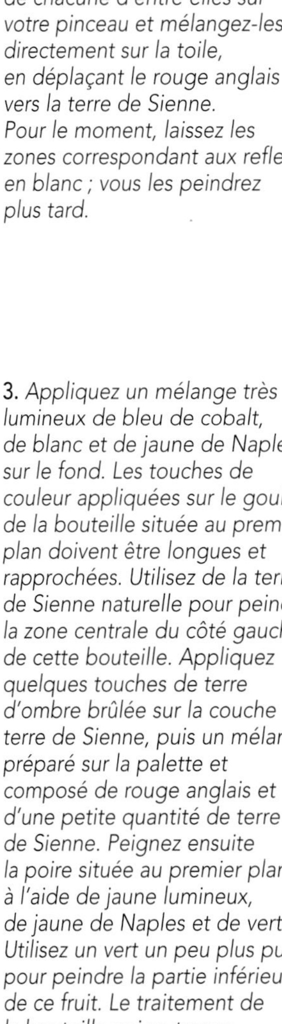

3. *Appliquez un mélange très lumineux de bleu de cobalt, de blanc et de jaune de Naples sur le fond. Les touches de couleur appliquées sur le goulot de la bouteille située au premier plan doivent être longues et rapprochées. Utilisez de la terre de Sienne naturelle pour peindre la zone centrale du côté gauche de cette bouteille. Appliquez quelques touches de terre d'ombre brûlée sur la couche terre de Sienne, puis un mélange, préparé sur la palette et composé de rouge anglais et d'une petite quantité de terre de Sienne. Peignez ensuite la poire située au premier plan à l'aide de jaune lumineux, de jaune de Naples et de vert. Utilisez un vert un peu plus pur pour peindre la partie inférieure de ce fruit. Le traitement de la bouteille qui se trouve au fond doit être moins précis que celui des éléments situés au premier plan.*

4. *Poursuivez votre travail sur l'ensemble du tableau. Posez quelques touches de couleurs horizontales sur la partie centrale de la bouteille située au premier plan, en allant du haut vers le bas ; elles se mélangeront au ton terre d'ombre appliqué précédemment. Posez quelques touches verticales de terre d'ombre brûlée sur le côté droit et quelques touches arrondies sur la zone inférieure de cette bouteille ; elles entraîneront une partie des couleurs peintes précédemment. Le travail à réaliser sur la bouteille située dans le fond est similaire à celui que vous venez d'effectuer, à une différence près : vous ne devez utiliser que des verts que vous aurez fortement rabattus en y ajoutant du blanc et du jaune de Naples.*

Il faut choisir les couleurs à employer pendant la phase de schématisation des plans en fonction de l'endroit occupé par chacun des éléments de la nature morte. Il serait illogique d'utiliser une couleur très vive pour peindre un objet situé au dernier plan si les éléments qui se trouvent au premier plan ont été peints dans des tons éteints.

5. L'illustration ci-contre vous permettra de constater les différences existant entre les divers tracés réalisés jusqu'à présent. Le traitement de la première bouteille est très contrasté. Son goulot doit être peint en appliquant de longues touches verticales de couleur marron foncé, alors que le rendu de la partie centrale s'obtient à l'aide de touches de couleur rouge, courtes et horizontales, qui forment un plan différent. De nouveaux plans ont également été créés sur le corps de la bouteille. Son arrondi est souligné par une touche de couleur orangée qui respecte sa forme. Une touche de jaune figure le reflet.

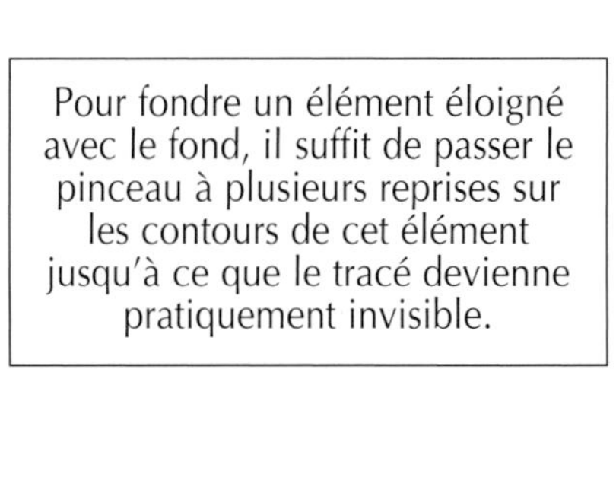

Pour fondre un élément éloigné avec le fond, il suffit de passer le pinceau à plusieurs reprises sur les contours de cet élément jusqu'à ce que le tracé devienne pratiquement invisible.

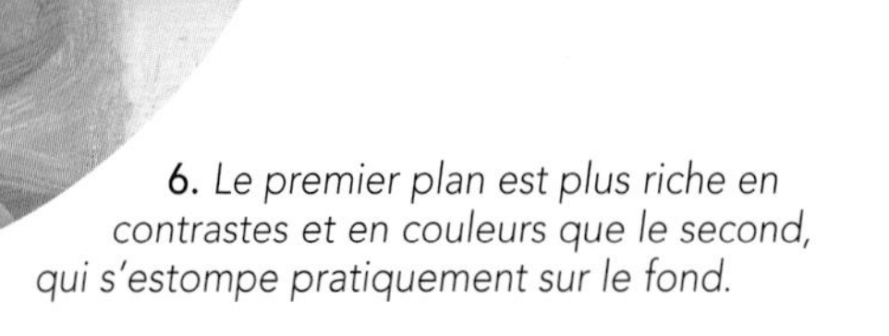

6. Le premier plan est plus riche en contrastes et en couleurs que le second, qui s'estompe pratiquement sur le fond.

7. *Le travail concernant la nappe froissée est simple à réaliser, mais requiert une plus grande attention au premier plan que dans le fond. Il est important que les lignes essentielles soient définies dès la phase de schématisation pour que les coups de pinceau suivent un chemin sûr pendant toute la durée du processus. Les tons clairs du premier plan doivent être beaucoup plus brillants et purs que ceux des plans plus éloignés. Estompez les contours de la bouteille située dans le fond à coups de pinceau très doux jusqu'à ce qu'elle devienne presque floue. Ainsi se termine ce travail exhaustif de schématisation et de traitement des plans à la couleur à l'huile.*

SCHÉMA-RÉSUMÉ

Contrairement aux objets situés dans le fond, qui sont doux et ont tendance à s'estomper, **les tons et les couleurs des éléments qui se trouvent au premier plan apparaissent forts et contrastés.**

Les reflets de **la bouteille située au premier plan** se résolvent à l'aide de couleurs fortes et lumineuses.

Conformément au schéma d'origine, les contours de la bouteille la plus éloignée se fondent et leur forme est peu définie.

Les couleurs du **plan le plus éloigné** ont tendance à s'unifier.

La nappe est mieux définie au premier plan. Le tracé y est plus précis que sur le reste du tableau.

THÈME

4

Pose des premières couleurs maigres

ORDRE D'APPLICATION DES COULEURS : GRAS SUR MAIGRE

Lorsque l'on peint à l'huile, il est fondamental de suivre un processus à première vue un peu confus mais qui, lorsqu'il est maîtrisé, se convertit en une méthode très intuitive particulièrement utile pendant les premières phases d'exécution. Après la schématisation initiale, la pose de taches de couleur est l'antichambre de la peinture et, en tant que telle, elle offre une base suffisamment stable pour que les couleurs appliquées postérieurement puissent sécher de façon naturelle. Cette méthode est basée sur l'emploi d'une couleur très diluée dans de l'essence de térébenthine, c'est-à-dire maigre et peu colorée.

Dès le début de cet ouvrage, nous avons vu que la peinture à l'huile est en partie composée d'un médium gras soluble dans l'essence de térébenthine. Nous allons maintenant traiter en détail le procédé d'exécution d'un tableau, qui commence par l'emploi de couleur à l'huile fortement diluée dans de l'essence de térébenthine.

1. *La schématisation initiale étant terminée, il convient de séparer les zones d'ombre et de lumière. Pour ce faire, trempez le pinceau dans de l'essence de térébenthine et frottez-le sur la couleur qui se trouve sur votre palette. Appliquez la couleur ainsi diluée sur toute la zone destinée à accueillir des tons foncés. Ne vous inquiétez pas si vous empiétez sur les zones plus lumineuses : vous pourrez les retoucher sans aucune difficulté en passant votre pinceau imprégné d'essence de térébenthine propre sur les endroits peints par erreur tant que la couleur sera fraîche. Cette méthode simple permet d'éliminer les tracés erronés.* ▲

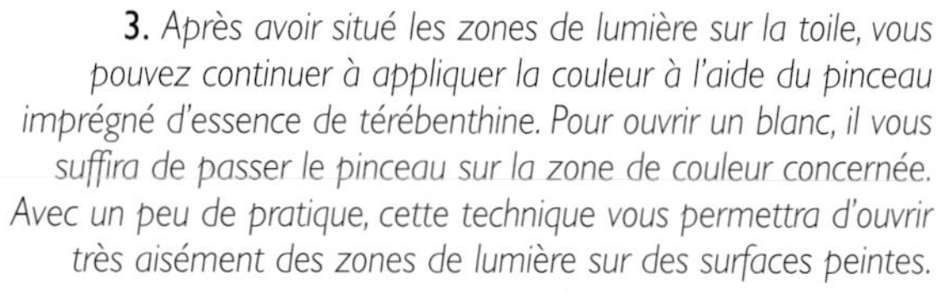

▼ 3. *Après avoir situé les zones de lumière sur la toile, vous pouvez continuer à appliquer la couleur à l'aide du pinceau imprégné d'essence de térébenthine. Pour ouvrir un blanc, il vous suffira de passer le pinceau sur la zone de couleur concernée. Avec un peu de pratique, cette technique vous permettra d'ouvrir très aisément des zones de lumière sur des surfaces peintes.*

▶ 2. *Les couleurs maigres permettent de définir les formes en fonction des zones foncées et des zones claires, qui sont alors délimitées par les tons les plus denses. La pose des premières taches de couleur, toujours très diluées dans de l'essence de térébenthine, doit établir les limites des zones d'ombre et de lumière. Il vous suffit d'entraîner une petite quantité de couleur à l'aide du pinceau imprégné d'essence de térébenthine pour déplacer les gris moyens. Les premiers tons foncés étant définis, vous pouvez utiliser une autre couleur pour réaffirmer les ombres.*

DILUER LA COULEUR SUR LA PALETTE

Après l'exercice de la page précédente, dans lequel nous vous proposions d'élaborer une nature morte à l'aide de tons très maigres, nous allons maintenant étudier un exemple qui vous permettra d'aller un peu plus loin dans l'application de la couleur. Pendant les premières phases du processus de peinture à l'huile, il convient de travailler avec des couleurs diluées dans de l'essence de térébenthine pour préparer la base des couches ultérieures et être en mesure de retoucher le tableau autant de fois qu'il s'avère nécessaire sans gâcher trop de peinture. Vous allez maintenant diluer les couleurs sur la palette pour poser les taches de façon plus précise. La couleur à l'huile séchera correctement si vous suivez attentivement les indications que nous vous fournissons ci-après.

▶ **1.** *Après avoir peint les principaux éléments du modèle, c'est-à-dire après avoir délimité les zones d'ombre et de lumière à l'aide de couleurs maigres, vous pouvez commencer à appliquer des tons un peu plus denses. Ce processus se répète à tous les niveaux dans le domaine de la peinture à l'huile. Il faut procéder progressivement, en commençant par les tons maigres les plus clairs, avant de passer aux couleurs foncées. Le tracé du schéma initial doit être assez sec et très maigre.*

▶ **2.** *Si vous appliquez une touche de couleur foncée sur un ton clair, le pinceau entraîne une partie de la couche précédente, surtout lorsque celle-ci renferme une certaine quantité d'essence de térébenthine. Si vous passez le pinceau à plusieurs reprises, la couleur foncée se fond avec les couches précédentes. Superposez quelques touches plus foncées au ton vert que vous avez appliqué en premier lieu, en ayant pris soin de le diluer légèrement dans de l'essence de térébenthine sur votre palette. Utilisez un rose très lumineux, dilué de la même façon, pour peindre la fleur. Peignez également son ombre à l'aide d'une couleur très sombre.*

3. *Terminez par les contrastes les plus foncés. Dans cet exercice, les couleurs les plus sombres doivent être appliquées directement, non diluées, pour que les touches de couleur soient plus denses. Les mélanges doivent être effectués sur la palette pour que les couleurs conservent leur pureté.* ▲

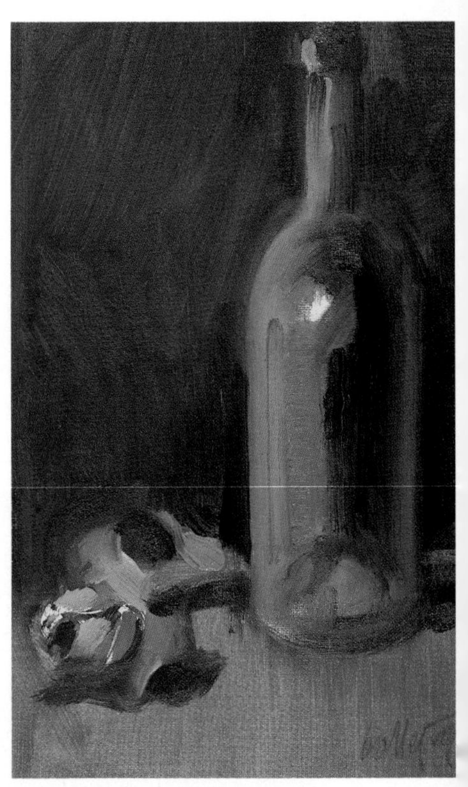

1. *La brosse permet d'obtenir des tracés amples et généreux. Son emploi est particulièrement indiqué pour peindre des surfaces étendues. Contrairement aux apparences, la brosse offre au peintre de nombreuses possibilités car son profilé peut être très précis. Grâce à sa capacité d'entraînement, elle permet aussi de fusionner rapidement les tons maigres appliqués sur la toile.*

POSE DE TACHES ET EMPLOI DE LA BROSSE

La brosse est l'un des outils les plus pratiques pour le peintre, quel que soit le procédé pictural choisi. Malgré son apparence grossière, elle facilite la pose de couleurs maigres à l'huile, essentiellement parce qu'elle permet de résoudre rapidement les premières phases d'exécution du tableau. Nous vous proposons ici un exercice simple concernant l'emploi de la brosse, une technique que vous pourrez appliquer à n'importe quel thème, et plus particulièrement pendant les premières phases de la pose de taches.

2. *Après avoir peint les principales zones du tableau à l'aide de couleurs très maigres, vous pouvez commencer à travailler plus minutieusement et à préciser les formes, qui peuvent alors être définies de façon beaucoup plus exacte. Comme vous pourrez le constater, la brosse est l'un des pinceaux dont le tracé est le plus varié ; elle n'est cependant pas indiquée pour traiter des zones de détails.*

> Ne jetez pas les vieilles brosses car elles vous permettront de réaliser des tracés impossibles à obtenir avec des brosses ou des pinceaux neufs

3. *Une fois la pose de taches terminée, utilisez des couleurs plus denses pour résoudre les formes en alternant l'emploi des différentes parties de la brosse afin de varier le tracé.*

▶ 1. *Déposez deux tons de vert très différents sur votre palette et diluez-les dans de l'essence de térébenthine. Utilisez ces tons pour ébaucher la bouteille et la grappe de raisin et appliquer les premières touches de couleur. Le schéma initial ne doit comporter aucun détail concernant les formes, mais il convient de suggérer les reflets en réservant les zones correspondantes. Ébauchez également l'orange, dont le ton lumineux contrastera avec les autres éléments du tableau.*

POSE DE TONS MAIGRES SUR LA TOILE

Même si les couleurs employées sont très contrastées, elles doivent toujours être mises en œuvre de façon progressive, en suivant la règle gras sur maigre. La schématisation et la pose des taches doivent être rapides, et permettre de situer à la fois les couleurs et les formes. La peinture à l'huile présente un avantage indéniable par rapport aux autres procédés picturaux : elle offre la possibilité de construire progressivement un tableau grâce à la pose de taches de couleurs maigres.

▶ **2.** *Les tons peuvent être retouchés pendant la pose des premières couleurs. Étant donné que la définition des couleurs et des formes s'effectue en parallèle, ces dernières peuvent être retouchées en même temps. Modifiez peu à peu la couleur de la bouteille, qui à l'origine était vert foncé, grâce à des apports de couleur de moins en moins diluée et jusqu'à ce qu'elle acquiert un ton bleuté. Appliquez ensuite une touche de couleur rougeâtre. Préparez un mélange de bleu et d'orange sur votre palette et utilisez-le pour définir la forme de l'orange. La couleur de la grappe de raisin doit être beaucoup plus lumineuse que les autres tons du tableau.*

▶ **3.** *Retouchez les couleurs et les formes de façon progressive. Les touches qui viendront se superposer aux couleurs initiales doivent être de plus en plus assurées ; elles permettront de reconstruire les formes. Utilisez des couleurs non diluées, grasses, pour exécuter les finitions. La couleur à l'huile non diluée est onctueuse et permet de réaliser toutes sortes de fusions et de petites taches de couleur.*

pas à pas

Ébauche de nature morte

La peinture à l'huile est l'une des disciplines artistiques les plus nobles. Après séchage, les couleurs peuvent conserver leur vivacité et leur apparence d'origine pendant de nombreuses années. Néanmoins, pour que cela soit possible, le peintre amateur doit étudier le processus d'élaboration du tableau, dont l'exécution doit toujours commencer par une pose de taches de couleurs dont les couches initiales doivent renfermer plus d'essence de térébenthine que les suivantes.

MATÉRIEL NÉCESSAIRE

Couleurs à l'huile et palette (1), carton entoilé (2), pinceaux (3), essence de térébenthine et huile de lin (4).

1. *Les premières couches de couleurs à l'huile doivent toujours être plus maigres que les suivantes. Trempez le pinceau dans de l'essence de térébenthine et diluez la couleur sur votre palette. Après avoir égoutté le pinceau pour que la couleur ne goutte pas sur la toile, commencez à ébaucher la forme de chacun des éléments de la nature morte. Dans ce cas précis, il n'est pas nécessaire de tracer une esquisse préalable au fusain, car le modèle n'est pas compliqué. Comme vous pouvez le constater sur l'illustration ci-contre, le fond de couleur sombre délimite la forme du vase.*

2. *Peignez toute la surface du fond à l'aide d'une couleur foncée encore très diluée. Toutes les touches de couleurs initiales doivent être très peu grasses et ne doivent pas être trop opaques ; cela permet de retoucher n'importe quelle zone du tableau en y passant un pinceau humidifié dans de l'essence de térébenthine pure. Cette technique permet également d'ouvrir les blancs les plus lumineux. Rehaussez les tons foncés à l'aide d'une couleur violacée un peu plus dense. Utilisez au contraire une couleur presque transparente pour peindre le vase. Appliquez les premières touches opaques et épaisses sur la pomme.*

3. *Passez maintenant au cendrier. Utilisez des tons très denses et foncés pour peindre sa partie intérieure. Du fait du contraste, le bord paraîtra beaucoup plus lumineux. Pour peindre la zone externe de ce cendrier en céramique, employez des tons préalablement éclaircis à l'aide d'un important ajout de blanc et renfermant moins d'essence de térébenthine que les précédents. En insistant sur les contours arrondis, vous entraînerez une partie des couches précédentes.*

4. *Les couleurs doivent renfermer de moins en moins d'essence de térébenthine au fur et à mesure de l'avancement du travail. Vous pouvez appliquer des couleurs non diluées dès que vous avez fini de poser les couleurs initiales. Vous l'avez déjà fait pour la pomme ; vous devrez continuer à traiter ce fruit de la même façon, c'est-à-dire sans utiliser d'essence de térébenthine. Si vous voulez obtenir une couleur plus liquide, il vous faudra y ajouter de l'huile de lin. Appliquez quelques touches rougeâtres qui se mélangeront avec les tons jaunâtres de la pomme. Posez une touche directe très lumineuse sur le vase blanc. Peignez également le reflet situé dans sa partie supérieure pour définir la zone de brillance.*

5. Finissez de peindre toute la partie éclairée du vase dans un blanc très lumineux. La zone entourant cet objet étant très foncée, le contraste entre les tons semblera beaucoup plus brillant et lumineux. Passez votre pinceau à plusieurs reprises sur la pomme pour la modeler, jusqu'à ce qu'elle acquiert une forme sphérique. Grâce à ce travail répété au pinceau, les couleurs se fondent et prennent des tons orangés dans certaines zones.

N'utilisez jamais de dissolvant universel pour diluer la peinture à l'huile. Le seul médium approprié est l'essence de térébenthine pure. Si vous achetez ce produit en droguerie, vérifiez qu'il s'agit bien d'essence de térébenthine rectifiée car c'est la seule dont la pureté est garantie.

6. La peinture à l'huile vous offre la possibilité de retoucher constamment la forme des objets que vous êtes en train de peindre, mais n'appliquez pas de couches de couleurs denses trop épaisses pendant toute la durée du processus car ces empâtements ne vous seront pas d'une grande aide et risquent même d'être gênants lors de l'élaboration et de la définition des formes. Retouchez l'ovale du cendrier à l'aide de touches successives qui auront pour effet de définir sa forme et son volume. De la même façon, superposez des touches de couleurs de plus en plus denses et opaques sur les zones sombres, en prenant soin d'éviter la formation d'empâtements.

7. Les tons de l'intérieur du cendrier sont trop contrastés ; il vous faut donc les retoucher à l'aide d'un gris plus doux, mais uniquement dans la partie correspondant à la zone éclairée. Donnez la dernière touche, longue et délicate, aux contours du cendrier, en entraînant une partie des couleurs précédentes.

SCHÉMA-RÉSUMÉ

Le schéma initial s'effectue à l'aide d'une couleur très maigre et sans grandes variations en ce qui concerne le ton. L'ébauche directe à la couleur doit être traitée comme s'il s'agissait d'un dessin.

Une touche de couleur directe, qui entraîne les tons précédents, permet d'obtenir **le reflet du cendrier.**

Les blancs correspondant aux reflets les plus marquants s'appliquent de façon directe.

La pomme doit être peinte de façon beaucoup plus directe que les autres éléments du tableau. Les mélanges de couleurs s'effectuent directement sur la toile.

Les couches de couleurs doivent être appliquées progressivement. En matière de pose de taches de couleurs, il est important de respecter la règle gras sur maigre.

THÈME

5 Le couteau

DÉPLACEMENT DES COULEURS ET EMPÂTEMENTS

Le couteau est l'un des instruments propres à la technique de la peinture à l'huile. Cet outil très simple permet de réaliser toutes sortes de travaux. En règle générale, le couteau n'est pas très utilisé, bien que les résultats obtenus soient aussi gratifiants que ceux résultant de l'emploi du pinceau.

Nous vous proposons ici divers exercices ayant trait à l'emploi du couteau. Bien qu'il puisse se présenter sous diverses formes, cet outil est toujours constitué d'une simple petite plaque en acier grâce à laquelle le peintre peut déplacer, modeler ou empâter les couleurs et s'exprimer d'une façon très personnelle.

▶ *Le couteau permet de réaliser de grands empâtements de couleurs. Il vous suffit de prélever sur la palette la quantité de peinture que vous souhaitez appliquer. Étant donné que la peinture à l'huile ne se contracte pas au séchage, toutes les interventions restent intactes, même après durcissement de la couleur.*

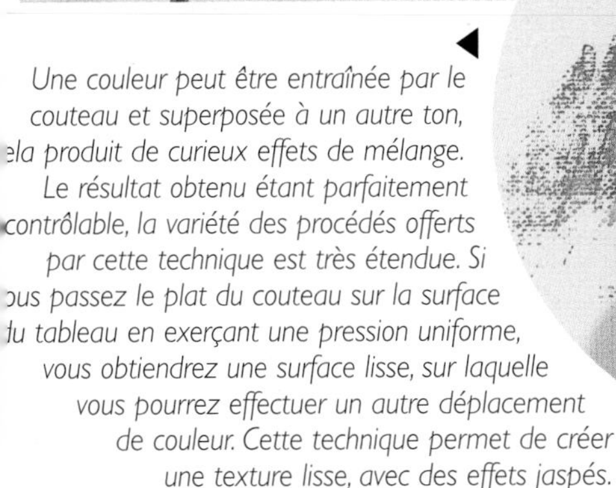

◀ *Une couleur peut être entraînée par le couteau et superposée à un autre ton, cela produit de curieux effets de mélange. Le résultat obtenu étant parfaitement contrôlable, la variété des procédés offerts par cette technique est très étendue. Si vous passez le plat du couteau sur la surface du tableau en exerçant une pression uniforme, vous obtiendrez une surface lisse, sur laquelle vous pourrez effectuer un autre déplacement de couleur. Cette technique permet de créer une texture lisse, avec des effets jaspés.*

▼ *Vous pouvez créer des textures comme celles de l'exemple ci-dessus à l'aide d'un couteau peu chargé en couleur. L'essentiel est d'apprendre à maîtriser le toucher au moment d'appliquer la couleur. Si la peinture à l'huile est, de par sa nature, très molle, elle l'est plus encore lorsqu'elle est appliquée au moyen d'un instrument métallique tel que le couteau. Les petits empâtements peuvent être réalisés de façon consécutive, sans appuyer sur le couteau pour éviter d'écraser les couleurs sur la toile.*

▶ 1. *Le peintre amateur risque de se trouver plus d'une fois dans une situation comme celle-ci, c'est-à-dire face à un résultat ne correspondant pas à celui qu'il souhaitait obtenir. Cela peut arriver dans n'importe quelle phase d'exécution du tableau. La couleur à l'huile ne peut pas être retirée proprement de la toile à l'aide d'un pinceau, elle risquerait de s'étaler et de salir des zones qui n'ont pas à être retouchées.*

LA RETOUCHE

La texture des couleurs à l'huile est souvent bien trop compliquée à retoucher au pinceau. Nous avons déjà vu que le couteau est un instrument qui permet d'appliquer les couleurs. Le fil de cet outil peut également être employé pour retirer les excédents de couleur appliqués par erreur. Il est possible d'intervenir au couteau sur toute surface peinte, quelle qu'elle soit, à condition que la couleur ne soit pas sèche. L'exercice que nous vous proposons ici est un simple exemple de la façon dont vous pouvez retoucher une surface au couteau.

▶ 2. *Le couteau est un instrument parfait pour éliminer proprement la couleur. Il vous suffit de passer le fil du couteau à plusieurs reprises sur la zone concernée jusqu'à ce que la couleur ait pratiquement disparu. Une fois retirée la couleur ou au moins la charge excédentaire de peinture, vous pouvez de nouveau intervenir sur la zone nettoyée sans que les couleurs se mélangent involontairement.*

▶ 3. *Le couteau vous a permis d'ouvrir l'espace nécessaire dans la zone appropriée, sans conséquences pour les couleurs que vous ne vouliez pas retoucher. Vous pouvez maintenant redéfinir la forme effacée sur cette zone propre en utilisant n'importe quelle technique de peinture à l'huile. Comme vous pouvez le constater, les nouveaux apports de couleur permettent de rectifier la forme de la zone retouchée.*

APPLICATIONS AU COUTEAU

Le maniement du couteau ne présente aucune difficulté. Ses applications sont aussi diverses que celles susceptibles d'être obtenues au pinceau, bien que la trace laissée par le couteau soit, bien entendu, totalement différente de celle laissée par le pinceau. Nous vous proposons ici un exercice simple qui vous permettra de découvrir quelques-unes des possibilités essentielles offertes par le couteau. Prêtez attention à la façon d'appliquer la couleur, à la pression exercée par le couteau sur la toile et à la capacité d'entraînement de celui-ci sur des couleurs fraîches.

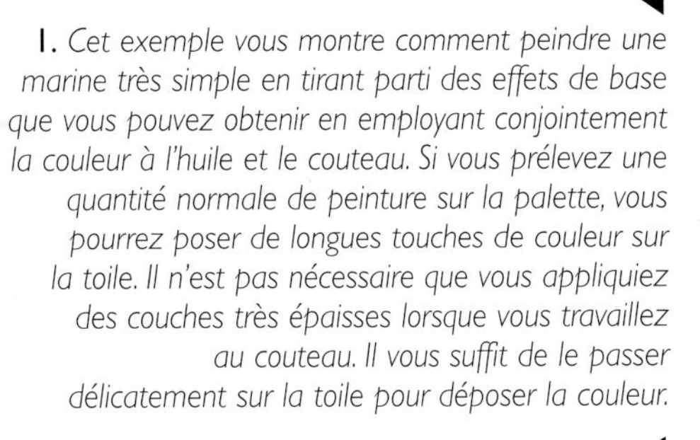

◀

1. *Cet exemple vous montre comment peindre une marine très simple en tirant parti des effets de base que vous pouvez obtenir en employant conjointement la couleur à l'huile et le couteau. Si vous prélevez une quantité normale de peinture sur la palette, vous pourrez poser de longues touches de couleur sur la toile. Il n'est pas nécessaire que vous appliquiez des couches très épaisses lorsque vous travaillez au couteau. Il vous suffit de le passer délicatement sur la toile pour déposer la couleur.*

◀

2. *Posez des touches de couleur très ponctuelles pour représenter les points de lumière sur l'eau. Utilisez la pointe du couteau pour ne pas appliquer plus de couleur qu'il n'est nécessaire. Comparez cet apport avec celui que vous avez réalisé précédemment. Il est très facile de modeler la texture de la couleur à l'huile au couteau, en entraînant ou non une partie des couches précédentes.*

Il est important de nettoyer avec soin le couteau après chaque session de travail. Éliminez les restes de couleur avec du papier journal, puis passez un chiffon imbibé d'essence de térébenthine sur le couteau.

◀

3. *Employez le plat du couteau pour peindre la zone correspondant au ciel. Posez d'épaisses touches de couleur assez étendues. Vous constaterez que lorsque vous superposez deux couleurs, la deuxième entraîne une partie de la première. Cela permet d'obtenir divers effets, très différents de ceux qui sont réalisés au pinceau.*

▶ 1. *Commencez à ébaucher le modèle au pinceau, en utilisant la technique que nous avons employée jusqu'à présent, c'est-à-dire en tenant compte du fait que les couches initiales peuvent être plus diluées que les suivantes. Prenez néanmoins soin de ne pas employer des couleurs trop liquides. Le tracé au pinceau étant beaucoup plus facile à exécuter et à maîtriser que le tracé au couteau, la préparation de la surface de base sera beaucoup plus précise et plus rapide. Étant donné que vous travaillerez ensuite au couteau, qui est un outil idéal pour les empâtements, ne posez pas trop de touches épaisses au pinceau.*

LA TEXTURE DE LA COULEUR À L'HUILE APPLIQUÉE AU COUTEAU

L'emploi du couteau peut être associé à l'utilisation du pinceau sur une même toile. En fait, le couteau est un outil idéal pour réaliser les finitions devant présenter une texture déterminée. Nous vous proposons ici un exemple qui vous permettra de vous exercer à leur emploi combiné. Il vous faudra commencer à peindre au pinceau et poursuivre votre travail au couteau.

▶ 2. *Lorsque vous avez fini d'ébaucher le tableau au pinceau, vous pouvez commencer à poser des touches de couleur plus épaisses au couteau. Vous pouvez réaliser des apports comparables à ceux que vous avez effectués jusqu'à présent, mais faites attention aux déplacements de couleurs. Si elles sont trop diluées, les couches précédentes risquent de vous empêcher d'obtenir un résultat satisfaisant au couteau.*

▶ 3. *Utilisez exclusivement le couteau pour exécuter les finitions et obtenir les différentes textures du sol. Cet exercice vous aura permis de constater que le couteau offre une gamme étendue de possibilités, que vous pourrez approfondir tout au long du thème suivant, consacré à l'emploi de cet outil.*

pas à pas

Paysage

Le paysage est l'un des sujets qui exploite au mieux les possibilités du couteau en raison de la quantité d'effets que cet outil permet d'obtenir grâce aux empâtements et aux déplacements de couleurs, et de la liberté d'expression qu'offre le paysage. Contrairement à d'autres thèmes picturaux, le paysage admet certaines concessions – des modifications chromatiques par rapport au modèle ou des variations en ce qui concerne les proportions – sans que cela ait des conséquences négatives sur le résultat final.

MATÉRIEL NÉCESSAIRE

Couleurs à l'huile (1), palette (2), carton entoilé (3), huile de lin (4), essence de térébenthine (5), chiffon (6), pinceaux (7) et couteau (8).

1. *Avant de commencer à peindre au couteau, définissez les formes essentielles à l'aide d'un pinceau que vous aurez préalablement trempé dans de l'essence de térébenthine, mais en prenant soin de ne pas trop l'imbiber pour éviter que la couleur ne glisse sur la toile. La première phase du travail doit établir clairement les différentes zones du paysage, dont la structure est très simple. En partant de la ligne qui marque la fin des champs, ébauchez les tons foncés qui définissent la zone correspondant au bas des arbres.*

2. *L'intervention suivante doit également être effectuée au pinceau. Les couleurs doivent être légèrement diluées dans de l'essence de térébenthine, mais il convient d'égoutter totalement le pinceau à l'aide d'un chiffon avant d'appliquer les premiers tons sur la toile. Dès le début, ceux-ci doivent englober une grande variété de verts. Après avoir peint la totalité du fond, commencez à travailler au couteau. Chargez sa pointe de bleu de cobalt pour situer les ombres basses des arbres.*

3. *Après avoir appliqué les tons foncés qui marquent les premiers contrastes des arbres, utilisez de petits empâtements de couleur pour représenter les parties plus lumineuses de cette zone. Ces nouveaux apports se mélangent avec les couleurs précédentes. Enrichissez les verts de votre palette en y ajoutant des tonalités jaunâtres et ocres. Les petites taches de vert appliquées sur le feuillage de la zone droite du tableau doivent être pures et lumineuses. Intervenez également au couteau dans la partie correspondant au ciel. Utilisez la même couleur que lors de la première phase, exécutée au pinceau, mais sans la diluer dans de l'essence de térébenthine.*

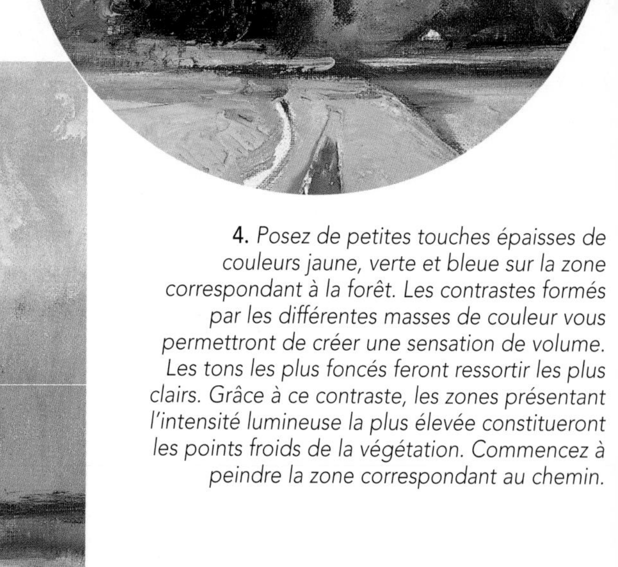

4. *Posez de petites touches épaisses de couleurs jaune, verte et bleue sur la zone correspondant à la forêt. Les contrastes formés par les différentes masses de couleur vous permettront de créer une sensation de volume. Les tons les plus foncés feront ressortir les plus clairs. Grâce à ce contraste, les zones présentant l'intensité lumineuse la plus élevée constitueront les points froids de la végétation. Commencez à peindre la zone correspondant au chemin.*

5. *Toute la zone correspondant au sol doit être peinte au couteau. Dans le cas des champs comme dans celui du chemin, utilisez le plat du couteau pour obtenir une surface plus lisse que celle qui vous a permis de suggérer la texture des arbres. Employez ces mêmes tons pour nuancer les zones correspondant au feuillage avant de suggérer le tronc de l'arbre situé sur la droite.*

Les touches de couleur les plus précises appliquées au couteau sont celles des phases de retouche et de mise en forme des détails du tableau. Elles interviennent donc lors de la dernière étape du processus.

6. *Contrastez les tons sombres de la forêt à l'aide d'un bleu très foncé, puis peignez les ombres des arbres sur le sol avec la pointe du couteau. Le bleu se mélangera légèrement avec les couches précédentes. Grattez la peinture encore fraîche avec la pointe du couteau pour suggérer les principales branches de l'arbre situé sur la droite.*

7. Rehaussez les derniers contrastes de la forêt. Ces couleurs foncées feront ressortir les tons les plus lumineux. Prélevez une petite quantité de couleur avec la pointe du couteau et peignez les poteaux de la clôture située le long du chemin. Il ne vous reste plus qu'à rehausser les contrastes dans un ton bleu foncé et de façon définitive avec la pointe du couteau.

SCHÉMA-RÉSUMÉ

Le schéma initial s'exécute dans un ton bleu foncé, à l'aide d'un pinceau imbibé d'essence de térébenthine.

Les premières touches de couleur appliquées au couteau définissent **les tons sombres de la forêt.**

La texture des arbres s'obtient à l'aide de petites taches directes.

Les principales branches de **l'arbre situé sur la droite** se tracent directement avec la pointe du couteau, en grattant la surface de la toile.

Le chemin doit être peint au couteau, en appliquant de longues touches de couleur très planes.

THÈME

6 Pose de taches de couleur

POSE DE TACHES DE COULEUR SUR LE FOND ET SUPERPOSITION DE PLANS

Postérieure à la première application de couleurs maigres et très liquides sur le support, la pose de taches permet de poursuivre le travail de construction des formes et de l'espace. Étant donné l'opacité et la texture de la peinture à l'huile, cette phase constitue un véritable processus, encore éloigné des finitions parfaites de cette technique. Il existe autant de façons de poser des taches de couleur sur un tableau que de thèmes susceptibles d'être traités. Nous allons étudier ici quelques-unes de ces méthodes.

La pose de taches de couleur permet de se rapprocher le plus simplement possible d'un résultat facilitant la mise en œuvre du tableau. Nous vous conseillons de toujours commencer l'exécution d'un tableau par un travail préalable à la peinture et d'élaborer les formes à partir de touches de couleur peu définies. Les couleurs des premières taches et le type de touche doivent impérativement être appropriés au sujet. Nous vous proposons ici un exercice simple qui consiste à poser des taches de couleur sur un fond floral et à y superposer une fleur au premier plan.

1. *Il vous faudra rehausser le premier plan, qui devra être parfaitement défini, pour suggérer la présence de plans éloignés et la profondeur. Utilisez du bleu et du carmin que vous aurez rabattus en ajoutant du blanc pour représenter ce fond de fleurs. Appliquez des touches très libres, sans préciser la forme des fleurs. Vous obtiendrez ainsi un fond légèrement flou.*

▲

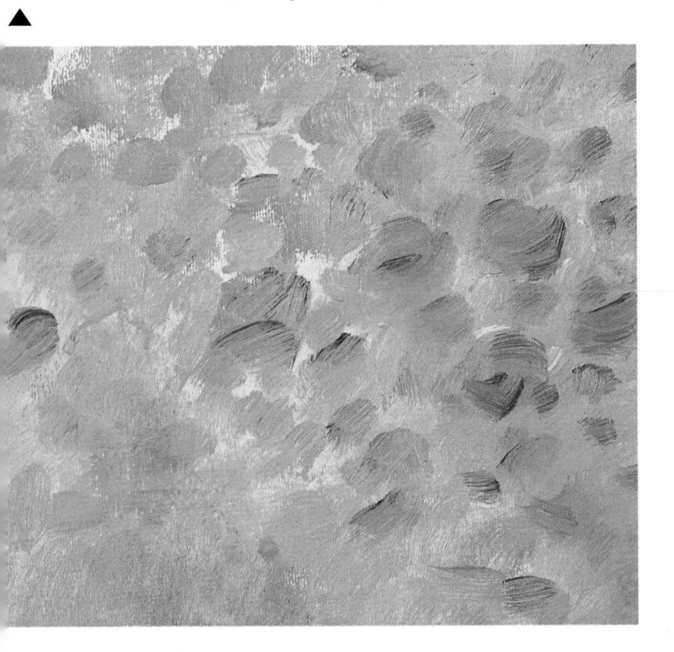

2. *Superposez à ce fond une fleur aux couleurs pures, c'est-à-dire non mélangées à du blanc, très lumineuses. Les touches de couleur doivent être très gestuelles. Votre pinceau entraînera une partie des tons préalablement appliqués sur le fond. Les taches initiales du fond représentent une base chromatique parfaite pour l'exécution des nouveaux tracés qui définissent la forme des pétales.*

▲

▶ 1. *Après avoir schématisé ce paysage, commencez à travailler à la couleur sur toute la surface du tableau. Les premières touches doivent être très étendues et peu précises, car elles ont uniquement pour objectif de couvrir les différentes zones le plus rapidement possible. Ne vous inquiétez pas si les premières taches de couleur couvrent le schéma initial ; vous pourrez le récupérer plus tard. De toute façon, la première intervention doit être réalisée avec une peinture assez maigre permettant de distinguer les premiers tracés.*

Les touches de couleur deviennent de plus en plus précises au fur et à mesure de l'avancement du tableau. Les formes sont constamment modifiées grâce aux touches de couleur qui répartissent les tons à l'intérieur des zones et définissent les détails.

▶ **2.** *Bien que chaque zone ne constitue qu'une petite portion du tableau, il est nécessaire d'envisager l'application d'un type de tache déterminé pour chacune d'entre elles et de considérer l'ensemble avant de vous consacrer aux détails. Peignez les nuages, superposés à la couche précédente, à l'aide de touches plus précises et mieux définies. Peignez les montagnes dans leur totalité. Tout comme la précédente, cette couche ne sera pas définitive ; elle vous servira de base pour un traitement postérieur plus approfondi. Plus les taches de couleur sont précises, plus la couleur doit être grasse.*

ZONES DE COULEURS MAIGRES

Dans les thèmes précédents, nous avons vu que la couleur à l'huile exige l'emploi d'une technique qui repose sur la règle gras sur maigre. Cela permet une mise en œuvre très rapide des premières couches. La pose des taches initiales, qui doit faire abstraction des détails, doit permettre de couvrir la surface du tableau le plus rapidement possible pour définir les principales zones et les couleurs essentielles. Dans cet exemple, il vous faudra résoudre le problème de la pose des taches à l'aide de grandes masses de couleur qui permettront d'homogénéiser les zones.

3. *Jusqu'à présent, vous n'avez peint aucun détail risquant de vous gêner pendant la pose des taches de couleur. Il convient de ne dessiner aucun détail avant que la couleur du fond soit totalement définie. Un nouvel apport de couleur, plus détaillé au premier plan que sur le reste de la surface, vous permettra de terminer l'exécution de la zone correspondant aux montagnes. Appliquez des touches foncées sur les tons uniformes qui couvrent le sol pour représenter les zones d'ombre de la végétation. Cela étant fait, posez de petites touches de couleur pour obtenir l'aspect définitif des fleurs.* ▲

CONSTRUCTION DIRECTE À PARTIR DES TACHES DE COULEUR

Tout peintre qui estime posséder des connaissances suffisantes sur la façon dont les couleurs agissent les unes sur les autres peut envisager une mise en œuvre directe des éléments du tableau à l'aide de taches de couleur, en faisant en sorte que ces taches suffisent pour définir la structure des formes. Cette technique est essentiellement applicable à des thèmes présentant des formes assez abstraites. C'est le cas du massif de fleurs ci-contre, dont la forme peut être définie par différentes masses de couleur superposées.

1. *Pour appliquer les premières masses de couleur, procédez par touches d'ensemble rapides, sans tenir compte des détails. Le plus important est de couvrir le fond de couleurs qui serviront de base aux taches postérieures. La pose des taches de couleur doit être progressive. Dans cet exercice, le volume de l'ensemble est suggéré par les tons les plus lumineux.*

▲

◀

2. *Le travail réalisé au cours des premières phases d'exécution du tableau consiste uniquement en des apports de tonalités et de couleurs variées sur lesquels les couches suivantes viendront s'appuyer. Les principaux tons appliqués pendant la phase de pose des taches s'unissent pour donner naissance à d'autres couleurs. Issues de mélanges réalisés directement sur la toile, ces couleurs sont des variations tonales des couleurs de base et appartiennent à la même gamme chromatique. Ici, il s'agit de couleurs froides.*

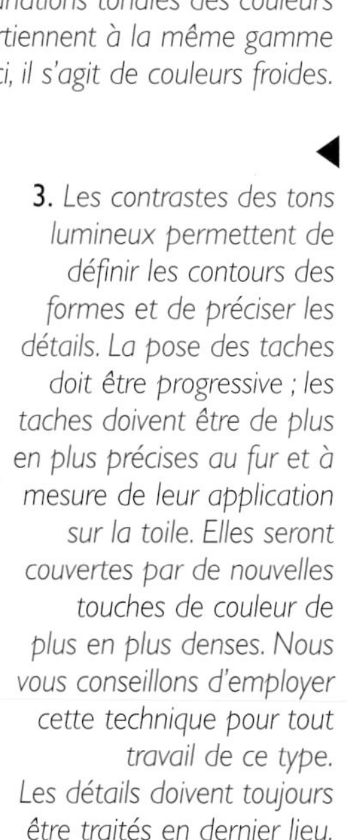

◀

3. *Les contrastes des tons lumineux permettent de définir les contours des formes et de préciser les détails. La pose des taches doit être progressive ; les taches doivent être de plus en plus précises au fur et à mesure de leur application sur la toile. Elles seront couvertes par de nouvelles touches de couleur de plus en plus denses. Nous vous conseillons d'employer cette technique pour tout travail de ce type. Les détails doivent toujours être traités en dernier lieu.*

SYNTHÈSE DES FORMES À TRAVERS LA COULEUR

Une simple tache de couleur permet d'élaborer des formes qui n'ont pas été préalablement définies par un tracé. Bien souvent, une seule touche de couleur suffit pour suggérer des objets ou enrichir une surface peinte. Cet exercice montre qu'il n'est pas indispensable de peindre des objets ou des formes de façon très détaillée. Le contexte de l'ensemble fournit les informations nécessaires à la compréhension des détails sans que ceux-ci ne définissent vraiment des formes ou des objets figuratifs

▼ **1.** *Les couleurs qui interviennent au cours de la pose des taches initiales serviront de base aux couches suivantes. L'exécution de cette première phase implique la combinaison de plusieurs gammes de verts. L'emploi de différents tons vous permettra de situer deux plans.*

2. *Les couleurs de base, c'est-à-dire les taches initiales, conditionnent les apports d'autres tons et d'autres couleurs. Utilisez les tons de la gamme que vous avez choisie pour suggérer la texture. Cela vous permettra de définir des formes qui, à elles seules, ne seraient que de simples touches de couleur sans aucun sens, à l'intérieur du feuillage. Ce sont les taches de couleur qui permettent aux objets d'acquérir une forme reconnaissable.*
▲

▼
3. *Les couleurs qui constituent la base du tableau comprennent essentiellement deux variétés de vert : un vert foncé et un vert plus clair. Les taches rouges créent un fort contraste chromatique par rapport au vert foncé. Ce rouge est cependant trop foncé pour être appliqué sur le vert clair. Bien qu'il serve à suggérer les mêmes formes que dans la zone vert foncé, le rouge que vous utiliserez dans la zone vert clair doit être beaucoup plus lumineux. Il convient de compenser les contrastes dans chacune des zones.*

pas à pas

Paysage avec jardin

La première question que l'artiste doit se poser doit concerner la technique à employer pour la pose des taches initiales. Il pourra parfois procéder de façon très générale, alors que, dans d'autres cas, il lui faudra se baser sur une structure parfaitement définie. Nous vous proposons ici d'exécuter un tableau du début à la fin tout en vous exerçant à différentes techniques. Les formes du modèle que nous avons choisi sont très simples ; sa composition est symétrique et elliptique. Les seules difficultés d'un tableau résident dans les formes qui exigent une certaine précision d'exécution. Les grandes masses de vert qui entourent le bassin facilitent l'interprétation initiale du modèle.

MATÉRIEL NÉCESSAIRE

Couleurs à l'huile (1), carton entoilé (2), huile de lin et essence de térébenthine (3), pinceaux (4), palette (5), fusain (6) et chiffon (7).

1. *Dessinez tout d'abord un schéma au fusain, puis retracez-le à l'aide d'un pinceau imprégné de couleur à l'huile noire légèrement diluée dans de l'essence de térébenthine. Ce premier travail vous permettra de situer les éléments qui composent ce sujet. La forme du bassin est sphérique, mais elle semble elliptique en raison de la perspective. Peignez les principaux tons foncés qui entourent les colonnes du bassin et les arbres situés dans le fond. Ne vous attachez pas aux détails, ni au cours de cette phase de schématisation ni pendant les suivantes. Bien que ces interventions soient très rapides à réaliser, elles permettent d'élaborer les formes à partir des principaux contrastes.*

2. Posez une grande tache de vert lumineux qui représentera les masses entourant le bassin. Ne vous attachez ni aux textures ni aux détails au cours de cette phase. Pour le moment, votre seul objectif doit être de couvrir les zones principales. Définissez rapidement la forme des arbres situés sur la droite, ainsi que le fond de couleur ocre, à l'aide de touches libres.

3. Peignez les arbres situés dans le fond dans une tonalité mélangée à du blanc. Après avoir peint le fond, vous pouvez commencer à appliquer de nouveaux tons qui viendront se superposer aux premières couches. Votre pinceau entraînera inévitablement une partie de ces couches. Appliquez un ton plus lumineux sur la couleur ocre. Les couleurs superposées se mélangeront lorsque vous passerez votre pinceau dans cette zone. Pour représenter les arbres situés sur la droite, appliquez tout d'abord de nombreuses touches de couleur, foncées et denses, puis posez des taches de vert très lumineux.

4. Vous ne devez peindre les détails qu'après avoir couvert définitivement le fond de grandes masses de couleur. Après avoir coloré les cimes des arbres qui se trouvent sur la droite, peignez les points lumineux du feuillage et des zones situées entre les troncs, que vous aurez tracés en superposant le ton correspondant à la grande masse de couleur verte. Consacrez-vous maintenant à la zone de végétation située sur la gauche. Après avoir appliqué de petites touches de couleur pour représenter l'herbe, peignez de façon assez schématique les piliers qui entourent le bassin.

5. Le fond étant couvert par les masses de couleur, superposez de nouvelles touches de couleur aux couches précédentes pour produire des effets de texture ou retoucher certaines zones. Peignez des touches de jaune très brillant sur l'arbre le plus lumineux situé sur la droite. Vos coups de pinceau entraîneront sans doute une partie de la couche précédente. Posez de petites touches foncées sur la gauche.

Les taches de couleur comme les aplats doivent présenter une épaisseur appropriée. La présence de couches trop épaisses risque de vous gêner au moment de réaliser les finitions de certaines zones.

6. Retouchez les piliers du bassin pour qu'ils acquièrent la forme souhaitée. La couleur ocre devant rester propre, évitez de tacher l'intérieur du bassin. Appliquez quelques touches de rouge pour suggérer les fleurs sauvages situées près du pilier qui se trouve dans le fond. Les taches de couleur initiales, qui couvraient totalement le fond, constituent une base parfaite pour l'exécution de ces détails.

7. *Peignez les contrastes définitifs du bassin en commençant par les piliers carrés. Utilisez des tons gris et bleus pour suggérer les ombres. Ne peignez les points de lumière, que vous obtiendrez à l'aide de touches très précises, qu'après avoir fini de traiter tous les détails. Contrastez fortement la partie extérieure et la partie intérieure du bassin. Cette dernière doit conserver ses tonalités lumineuses. Rehaussez les différents contrastes des zones de sol et de végétation situées au premier plan. Pour terminer, redéfinissez la forme des arcades qui se trouvent dans le fond.*

SCHÉMA-RÉSUMÉ

Les couleurs doivent être appliquées dans un ordre déterminé pour éviter d'en entraîner plus qu'il ne faut. Les touches de couleur représentant les troncs des arbres doivent être superposées aux taches qui couvrent le sol.

Les fleurs rouges ne doivent être peintes que lorsque le fond est résolu.

Les premières masses de couleur ne doivent jamais être trop épaisses. Les touches de couleur qui définissent les formes initiales doivent être très maigres. Ces formes ne doivent comporter aucun détail.

Les petits contrastes ne doivent être traités que lorsque la base composée de masses de couleur est suffisamment étendue et stable. Avant d'aborder les détails des arbres, ceux-ci doivent être résolus à l'aide de grandes masses de couleur planes.

Lorsque les couleurs qui couvrent le fond occupent les principales zones du tableau, il est possible de maîtriser les formes à partir des contrastes qui les définissent. La zone de sol qui entoure le bassin se résout à l'aide d'une grande masse de couleur verte.

7 Évolution du tableau

POSE DE TACHES DE COULEUR MAIGRES

Il est important d'accorder une attention particulière à la phase initiale de toute peinture à l'huile : la pose de taches. Cette étape est le point de départ de l'exécution d'un tableau. Réalisée correctement, elle permet de rompre le silence de la toile vierge et constitue une référence pour l'évolution de l'œuvre.

Nous avons vu qu'un tableau peut être abordé de différentes façons, mais il faut également savoir qu'une peinture à l'huile peut évoluer. L'évolution d'une œuvre à l'huile est une question qu'il ne faut négliger sous aucun prétexte. Dans le cas contraire, le tableau risque presque immanquablement de s'abîmer après séchage.

▼ 1. *Nous vous proposons un exercice qui vous permettra d'étudier le développement de tout tableau exécuté à la couleur à l'huile. Nous avons fait abstraction de mises en œuvre exigeant l'intervention d'un dessin complet. L'objectif de ce thème est de comprendre le processus de la peinture à l'huile. Les premiers apports de couleur doivent être très maigres. Les formes ne doivent pas être représentées de façon définie, mais peintes dans l'intention d'obtenir un fond sur lequel il sera possible d'appliquer des couleurs et des touches de plus en plus précises et denses.*

▼ 2. *Le fond couvert de couleurs maigres constitue une base parfaite pour la suite du travail. La couleur que vous y appliquerez ensuite ne doit pas être trop pure ; c'est une règle qu'il convient impérativement de respecter. La quantité d'essence de térébenthine ajoutée à la couleur ne doit jamais être élevée et toute couche très maigre devra toujours être suivie d'une couche renfermant moins de dissolvant.*

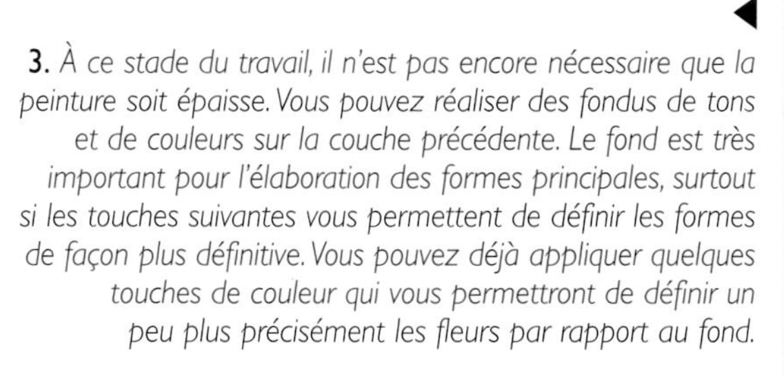

◀ 3. *À ce stade du travail, il n'est pas encore nécessaire que la peinture soit épaisse. Vous pouvez réaliser des fondus de tons et de couleurs sur la couche précédente. Le fond est très important pour l'élaboration des formes principales, surtout si les touches suivantes vous permettent de définir les formes de façon plus définitive. Vous pouvez déjà appliquer quelques touches de couleur qui vous permettront de définir un peu plus précisément les fleurs par rapport au fond.*

SUPERPOSITION DE COUCHES ET RETOUCHES

Les couches de couleur plus denses doivent être superposées au fond. Ces couches doivent être de plus en plus denses au fur et à mesure de l'avancement du tableau, sans que cela ne provoque la formation d'empâtements. Si le fond est trop imbibé d'essence de térébenthine, selon sa densité, la couleur risque de glisser sur la surface de la toile. La couleur doit être préparée sur la palette avant son application. Un détail important : faites très attention lors de la préparation car un petit ajout d'essence de térébenthine permet de fluidifier une grande quantité de couleur.

▼ 1. *Vous pouvez maintenant commencer à peindre de nouvelles couches plus denses sur la base de couleur très maigre. S'il vous faut fluidifier une couleur, vous pouvez y ajouter un peu d'essence de térébenthine, mais vous devrez sans doute compenser cet ajout avec un peu d'huile de lin. Pour accélérer le séchage, ajoutez quelques gouttes de vernis hollandais. Vous obtiendrez ainsi des couleurs plus maigres qui conserveront leur apparence liquide.*

▼ 2. *Après avoir posé des touches de couleur beaucoup plus denses sur la base précédente, vous pouvez exécuter des tracés directs qui vous permettront de commencer à définir complètement les formes des fleurs à partir de leurs contrastes.*

▶ 3. *Les touches de couleur appliquées au dernier moment peuvent présenter toute la fraîcheur propre à la couleur à l'huile. Vous obtiendrez des empâtements denses dans les zones où vous utiliserez des couleurs directes. Créez de forts contrastes qui souligneront les formes de cette composition florale. Appliquez des touches très directes pour obtenir le rendu définitif des points de luminosité maximale et des contrastes. Cette technique peut varier selon l'aspect final que vous souhaitez donner au tableau.*

1. *Ces premiers tons servent uniquement à colorer le fond. Les couleurs employées au cours de cette première intervention doivent être très maigres. Le fond blanc de la toile transparaît parfaitement entre les touches de couleur. Les premières couches ne doivent refléter ni les détails ni la moindre intention de définir les formes. Cette phase permet d'établir les premières couleurs et les plans de chacune des zones du terrain.*

DENSITÉ DE LA PEINTURE

Nous vous proposons ici un travail qui résume de façon très claire le processus précédent, mais appliqué cette fois à un paysage. Nous avons utilisé des couches de couleur assez liquides pendant les premières phases pour que le processus d'élaboration soit bien visible sur les illustrations ci-contre. Nous avons ajouté quelques gouttes de vernis hollandais au mélange de couleur et d'essence de térébenthine pour accélérer le séchage de ces couches.

2. *Les taches de couleur appliquées précédemment servent de base à ce nouvel apport de tons qui, comme dans le premier exercice de ce thème, peut être constitué de couleurs plus grasses, renfermant moins d'essence de térébenthine. Vous pouvez donc utiliser des couleurs beaucoup plus denses que les précédentes, même si ce processus fait encore partie de la phase de coloration générale du tableau.*

Un tableau exigeant des finitions très épurées doit comporter un nombre suffisant de phases consacrées à la pose de taches de couleurs. Le peintre doit toujours considérer l'ensemble avant de se tourner vers les détails, qu'il ne doit exécuter qu'au dernier moment.

3. *Les couches décisives du tableau ne doivent être exécutées qu'au dernier moment. Vous ne devez appliquer les touches libres à partir desquelles vous pourrez élaborer les détails qu'après avoir terminé le processus de coloration du fond. Comme vous pouvez le constater sur ce paysage, bien que les détails définitifs ne soient que suggérés, vous n'auriez pas pu les exécuter au cours des premières interventions.*

▶ **1.** *Schématisez directement cette pomme à l'aide d'une des couleurs que vous emploierez pendant les phases suivantes. Le dessin doit être monochrome et exécuté au pinceau, de façon très directe. La schématisation de la forme est l'une des phases essentielles de l'exécution d'une nature morte, d'un portrait ou d'une figure. À partir du moment où la couleur que vous employez pour tracer l'ébauche est l'une de celles que vous utiliserez plus tard, cette couleur devra pouvoir être assumée par les autres tons.*

PETITES TACHES DE COULEUR OU FONDUS

Un tableau peut présenter un aspect frais et spontané ou avoir un caractère plus doux, dû au fondu des tons. Dans les exercices proposés jusqu'à présent dans ce thème, le traitement des finitions a toujours été très direct. Nous vous proposons de traiter ce nouveau sujet de façon différente, même si, comme vous pourrez le constater au cours de son exécution, la technique employée ici présente certaines similitudes avec la précédente. Toutes les propositions étudiées dans ce thème pourront subir de petites variations et être plus ou moins élaborées, mais leur exécution aura toujours un point de départ similaire et elles seront identiques en ce qui concerne le procédé.

▶ **2.** *L'ébauche doit être parfaitement définie, car elle servira de base aux couches suivantes. Ce n'est qu'à cette condition que vous pourrez poser la première couleur grâce à laquelle vous réaliserez les fondus. Appliquez-la de façon très directe sur le fond maigre. La direction de la touche est très importante, car elle détermine la forme que vous allez fondre. Les parties les plus lumineuses contiennent encore des zones claires qui font partie du fond maigre.*

▶ **3.** *Les couleurs utilisées ensuite doivent être épaisses. Vous devrez insister à l'aide du pinceau pour fondre les différents tons que vous appliquerez sur la toile. Le tableau présentera, d'une part, des couleurs et des tracés directs et, d'autre part, des tons totalement fondus.*

pas à pas

Personnage à contre-jour

L'exercice que nous vous proposons ici consiste à représenter un personnage masculin debout près d'une fenêtre, à contre-jour. Les forts contrastes qui existent entre les zones d'ombre et de lumière réduisent les tons à employer à ceux d'un clair-obscur. Le processus sera très facile à suivre, car les couleurs et les tons ne sont pas très variés. Il vous faudra néanmoins prêter une attention particulière à la ligne de séparation entre les ombres. Ce modèle constitue une base idéale pour un pas à pas simple qui vous permettra de suivre l'évolution de l'exécution d'un tableau à l'huile.

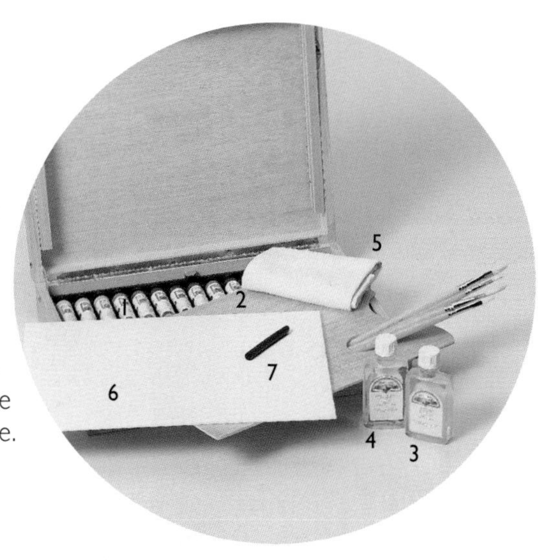

MATÉRIEL NÉCESSAIRE

Couleurs à l'huile (1), palette (2), huile de lin (3), essence de térébenthine (4), chiffon (5), carton entoilé (6) et fusain (7).

1. *Le dessin préalable est une phase importante. Si dans de nombreux thèmes peints à la couleur à l'huile, le peintre peut se contenter de suggérer le dessin initial et de l'élaborer au fur et à mesure de l'avancement du tableau, dans le cas de modèles comme celui-ci, dont les zones présentent une séparation très nette, il est indispensable de définir chacune des parties qui vont être traitées à la couleur. Schématisez tout d'abord les lignes générales ; après avoir défini la forme du personnage, situez les tons foncés correspondant aux ombres.*

2. *Pour cette première intervention, utilisez des couleurs que vous aurez préalablement diluées dans de l'essence de térébenthine sur votre palette, en veillant à ce qu'elles ne soient pas trop humides. Vous avez déjà tracé les limites des zones d'ombre lors de la phase précédente. Peignez-les maintenant à l'aide d'un mélange très foncé composé de terre d'ombre, de terre de Sienne et d'une pointe de bleu de cobalt. Les zones d'ombre doivent être traitées comme des masses isolées de couleur. Mélangez du bleu céruléen et un petit peu de bleu électrique, et ajoutez-y du blanc. Utilisez ce mélange pour peindre la partie éclairée du pantalon. Peignez les vitres à l'aide d'un blanc auquel vous aurez ajouté un petit peu de bleu pour le casser.*

Les couches posées pendant les premières phases d'exécution du tableau ne doivent pas être trop épaisses. Le blanc de la toile sert à définir les zones de réserve, qui permettent de situer les reflets dès le début.

3. *Préparez le ton que vous choisirez pour peindre la partie éclairée de la peau en mélangeant un ton ocre orangé et une pointe de rouge sur votre palette. Employez la même couleur pour peindre le bras, en la cassant toutefois avec une pointe de bleu. Utilisez un bleu tirant fortement sur le violet pour peindre la zone d'ombre du tee-shirt. Appliquez cette couleur maigre à l'aide d'un pinceau assez sec.*

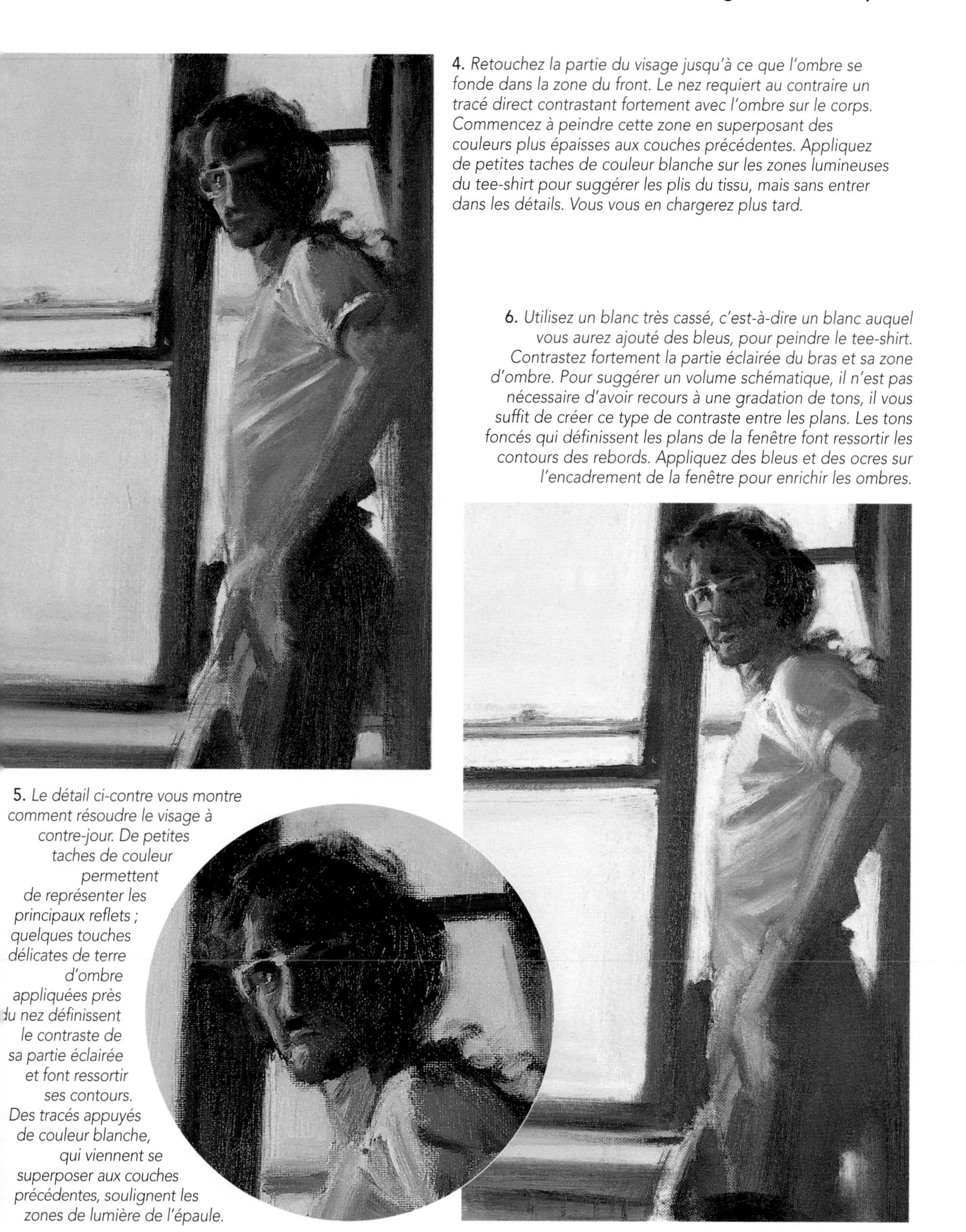

4. *Retouchez la partie du visage jusqu'à ce que l'ombre se fonde dans la zone du front. Le nez requiert au contraire un tracé direct contrastant fortement avec l'ombre sur le corps. Commencez à peindre cette zone en superposant des couleurs plus épaisses aux couches précédentes. Appliquez de petites taches de couleur blanche sur les zones lumineuses du tee-shirt pour suggérer les plis du tissu, mais sans entrer dans les détails. Vous vous en chargerez plus tard.*

6. *Utilisez un blanc très cassé, c'est-à-dire un blanc auquel vous aurez ajouté des bleus, pour peindre le tee-shirt. Contrastez fortement la partie éclairée du bras et sa zone d'ombre. Pour suggérer un volume schématique, il n'est pas nécessaire d'avoir recours à une gradation de tons, il vous suffit de créer ce type de contraste entre les plans. Les tons foncés qui définissent les plans de la fenêtre font ressortir les contours des rebords. Appliquez des bleus et des ocres sur l'encadrement de la fenêtre pour enrichir les ombres.*

5. *Le détail ci-contre vous montre comment résoudre le visage à contre-jour. De petites taches de couleur permettent de représenter les principaux reflets ; quelques touches délicates de terre d'ombre appliquées près du nez définissent le contraste de sa partie éclairée et font ressortir ses contours. Des tracés appuyés de couleur blanche, qui viennent se superposer aux couches précédentes, soulignent les zones de lumière de l'épaule.*

7. *Quelques touches directes de blanc, qui entraînent une partie des couches précédentes, suffisent pour retoucher les plis du tee-shirt. Appliquez quelques touches très lumineuses et épaisses sur la partie du visage située dans la pénombre. Retouchez le bras à l'aide de tracés délicats, allongés et appuyés pour que les ombres se fondent sur la zone de lumière. Il ne vous reste plus qu'à appliquer quelques touches de bleu très lumineux sur le pantalon et à suggérer la main en peignant les deux doigts visibles.*

Il convient de ne pas abuser du blanc, surtout dans le cas des travaux qui présentent des zones de luminosité extrême. Les mélanges les plus clairs doivent être réalisés à partir de couleurs lumineuses, telles que le jaune de Naples ou le bleu céruléen.

SCHÉMA-RÉSUMÉ

Le schéma initial s'effectue à partir d'un dessin très direct, retouché si nécessaire, et servant de base à l'étude des zones d'ombre et de lumière.

La première intervention à la couleur permet d'approfondir l'étude des zones d'ombre et de lumière. Les premières ombres doivent être très planes, exemptes de détails et tracées à l'aide d'une couleur assez maigre.

Le ton bleu du tee-shirt sert de base pour l'exécution des tracés gris et blancs qui définissent les plis.

La main doit être représentée au dernier moment. Deux tracés suffisent pour ébaucher les doigts.

THÈME

8

Gradation et méthodes directes

LA COULEUR FONDUE SUR LA TOILE

Dans le thème précédent, nous avons étudié le processus permettant d'exécuter un tableau, quel qu'il soit, à la couleur à l'huile. Le résultat final peut être atteint à l'aide de diverses méthodes. Certains artistes optent pour des finitions méticuleuses et un aspect très fondu, alors que d'autres préfèrent donner à leur œuvre un caractère plus spontané, résolument impressionniste. Les fondus constituent la phase préliminaire du modelé, l'une des techniques de travail les plus académiques.

Il existe plusieurs méthodes de fondu. La première consiste à utiliser la capacité d'entraînement du pinceau sur la toile. Le ton se dégrade peu à peu, puis finit par disparaître, et seule la première couleur appliquée sur la toile reste visible. Un grand nombre d'interventions peuvent ensuite être réalisées sur ce type de fondu. Ce premier exercice présente une technique de fondu dont l'emploi est presque toujours nécessaire dans le domaine de la peinture à l'huile.

1. *Exécutez le schéma initial au fusain. Passez ensuite un pinceau imprégné de couleur très maigre sur ce schéma. Égouttez soigneusement le pinceau avant de peindre pour éviter que la couleur dégoutte. Vous obtiendrez un tracé discontinu issu de la fusion brusque du ton et de la surface de la toile.*

▲

2. *Posez les premières taches de couleur sur le schéma. Comme pour toutes les autres techniques de peinture à l'huile, les couleurs initiales que vous allez appliquer ici doivent être mélangées à l'essence de térébenthine. Le sens de chaque tracé est un élément important de l'étude de la gradation. Pour peindre le fond, utilisez un bleu que vous aurez fortement rabattu en y ajoutant du blanc. Les touches doivent être assez libres et vos coups de pinceau inclinés. La première intervention à effectuer sur les fleurs consiste à ébaucher les pétales. Employez un ton presque blanc. Une seule touche doit suffire pour un pétale. Peignez ensuite les tiges dans un ton verdâtre. Appliquez délicatement une touche lumineuse, plus épaisse que les précédentes, sur les pétales les plus éclairés.*

▲

3. *Après avoir défini les formes principales, soulignez les contrastes les plus épurés des zones sombres et des zones les plus lumineuses à l'aide d'un pinceau fin. Ces derniers contrastes permettent de reconstituer les contours définitifs des fleurs. Le ton de chacune des zones sépare les différents plans, parfaitement définis.*

▲

▶ **1.** *Cette couleur foncée permet de résoudre tout le dessin à partir de la gradation de tons correspondante. Pour réaliser ce premier travail relatif aux tons, le dessin doit être terminé et les ombres définies. Après avoir peint la base, de couleur uniforme, laissez-la sécher pour que les tons que vous appliquerez ensuite ne salissent pas la couche initiale.*

PRINCIPES DE LA GRADATION

La gradation est un procédé qui permet de représenter les ombres à partir de différents tons d'une même couleur. Nous allons étudier ici quelques-unes des règles fondamentales de cette interprétation des tons. Dans l'exercice précédent, nous avons vu comment le tracé peut se fondre sur la toile, mais que se passe-t-il lorsqu'un tracé ne se désagrège pas, mais perd progressivement en présence jusqu'à ce qu'il s'intègre complètement au fond ou à une autre couleur ?

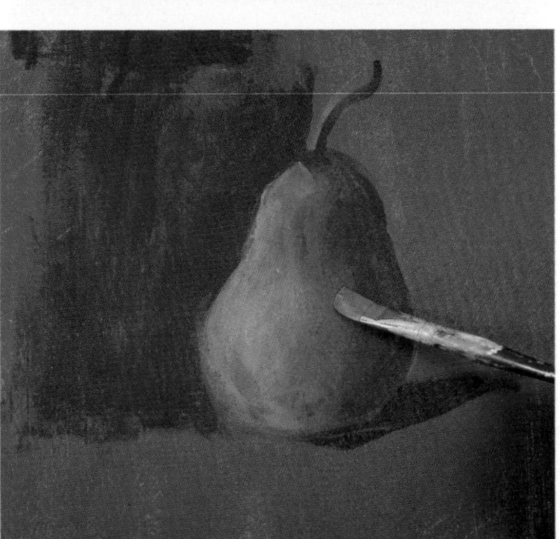

▶ **2.** *Pour préparer la couleur en vue d'un travail de gradation de couleurs transparentes, mélangez la couleur à l'huile, une petite quantité d'huile de lin et du vernis hollandais. Vous obtiendrez un mélange presque transparent, que vous utiliserez pour peindre les tons les plus lumineux. Laissez les couleurs foncées en réserve pour que la couleur du fond s'intègre dans ce travail de gradation. Pour les travaux qui requièrent un fondu total des tons, il est nécessaire d'utiliser des pinceaux de grande qualité.*

Il est préférable d'éviter d'employer du noir pour assombrir certaines zones pendant le travail de gradation, car c'est une couleur qui risque de salir les tons qui l'entourent et de provoquer l'apparition de fissures en raison des différences entre les temps de séchage des couches.

▶ **3.** *La première intervention à la couleur permet de définir les zones d'ombre et de lumière. Pour peindre les ombres, utilisez la même couleur que pour le fond. La gradation des lumières sera plus facile à réaliser et vous éviterez qu'elles ne se mélangent avec les ombres. Pour réaliser une gradation de tons dans les zones les plus lumineuses, la couleur devra être encore plus transparente.*

◀ *L'utilisation combinée de couleurs complémentaires permet d'obtenir des contrastes de grande intensité. Peignez tout d'abord la bouteille dans un ton vert, puis la pomme située à sa gauche dans un ton rouge. Le contraste entre ces deux zones est très fort. À la gauche de cette pomme, peignez-en deux autres, mais de couleur jaune : elles compenseront le poids des deux autres couleurs. Ce travail est un complément aux exercices de gradation.*

LA TECHNIQUE IMPRESSIONNISTE

L'impressionnisme a impliqué une rupture avec toute la tradition académique. Cette vision de la peinture permet d'interpréter les objets à partir de la luminosité de leurs couleurs et fait donc abstraction de toute relation avec la gradation ou avec le modelé des ombres. Les couleurs peuvent être appliquées de façon directe et sont renforcées par leur complémentarité ou par leur dissonance. L'exercice proposé ici, et dont le modèle est une nature morte, vous aidera à comprendre ce procédé.

◀ *L'emploi des couleurs selon la technique impressionniste implique que les lumières des différents objets d'un tableau aient une incidence directe sur l'ensemble des éléments qui le composent. Appliquez une touche de jaune sur la bouteille pour suggérer le reflet des pommes situées sur la gauche. Mélangez toutes les couleurs que vous avez employées et utilisez ce mélange pour peindre le fond. Vous obtiendrez ainsi un ton qui facilitera l'élaboration de l'ensemble chromatique.*

L'opacité des couleurs à l'huile permet de jouer sur deux niveaux en ce qui concerne la transparence : une couleur claire transparente devient opaque lorsque l'on superpose plusieurs couches, mais si le fond est sombre, elle gagne en luminosité.

◀ *Dans la technique impressionniste, les couleurs interviennent les unes sur les autres et il existe une relation de dépendance entre la luminosité des divers éléments du tableau. Les reflets d'un objet sur l'autre doivent être peints dans des couleurs complémentaires. Ces petites taches de couleur ne doivent pas être mélangées. Il suffit qu'elles puissent être liées à des points de référence situés sur les autres objets du tableau.*

▶ **1.** *Il est inutile de disposer d'un fusain ou d'un crayon à papier pour réaliser cet exercice. Utilisez un pinceau imprégné d'une couleur très maigre pour tracer directement les traits qui constitueront le schéma. Égouttez le pinceau pour éviter que la couleur dégoutte et commencez à dessiner le schéma. Vous pourrez corriger les traits et les retracer autant de fois que vous le jugerez nécessaire pendant cette première phase. Si, au cours de cette même étape, vous souhaitez effacer l'une des zones du tableau, il vous suffit de la frotter avec un chiffon légèrement imprégné d'essence de térébenthine.*

TRAVAIL DIRECT SUR LA TOILE

L'une des méthodes de travail les plus recommandées pour la prise de croquis rapides est celle qui permet de représenter instantanément le thème servant de modèle sur la toile, sans avoir à passer par des étapes intermédiaires susceptibles de retarder le processus : dessins épurés, gradations excessives ou modelé des formes. Le travail direct, également appelé peinture alla prima, est le procédé de prédilection de nombreux artistes partisans d'une peinture fraîche et spontanée. Cet exercice est un exemple clair de cette méthode de travail.

2. *Le schéma initial, exécuté à la couleur à l'huile, étant terminé, vous pouvez poursuivre votre travail. Celui-ci devant être rapide et offrir des résultats immédiats, utilisez des couleurs peu liquides. Les couleurs maigres perdent de leur éclat lorsqu'elles sont sèches. Pour remédier à ce défaut, vous pouvez ajouter du vernis hollandais au mélange réalisé sur la palette. N'utilisez pas de couleurs à l'huile de grande qualité pour la pose des taches initiales, car ces couleurs sont onéreuses et serviront de base pour l'application d'autres couleurs plus définitives. Il convient d'employer des couleurs de qualité moyenne. Vous pourrez utiliser des couleurs plus denses et de meilleure qualité plus tard.* ▲

3. *Au fur et à mesure de l'avancement du tableau, la couleur doit être de plus en plus grasse, jusqu'au moment où vous ne travaillerez plus qu'avec des couleurs ne renfermant plus du tout d'essence de térébenthine. De toute façon, pendant toute la durée de ce processus rapide, il convient de ne pas ajouter de couche de couleur plus maigre que celle sur laquelle vous travaillez, faute de manquer à la règle gras sur maigre.* ▲

pas à pas

Paysage fluvial

L'exercice proposé ici consiste à exécuter un paysage fluvial. Nous avons choisi un modèle très simple pour que les techniques du travail alla prima soient accessibles à tout peintre amateur. Il convient de commencer conformément à une règle qui est une constante dans tout travail à l'huile, c'est-à-dire en considérant l'ensemble avant de se consacrer aux détails. Le traitement des tons par l'intermédiaire des différentes touches de couleur vous permettra de doter la grande zone d'eau de ce beau paysage fluvial de la luminosité nécessaire.

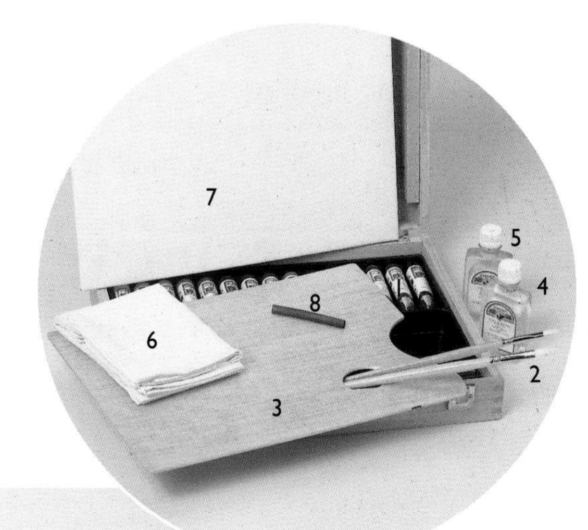

MATÉRIEL NÉCESSAIRE

Couleurs à l'huile (1), pinceaux (2), palette (3), essence de térébenthine (4), huile de lin (5), chiffon (6), carton entoilé (7) et fusain (8).

1. *L'exécution directe est l'une des options offertes par la technique de la peinture à l'huile. Vu la simplicité de cet exercice, cette possibilité est envisageable, mais, pour des raisons de compréhension, il est préférable d'exécuter un premier schéma au fusain. Les lignes droites doivent être tracées en tenant le bâton de fusain à plat. Le tracé des montagnes étant, quant à lui, discontinu, dessinez-le avec la pointe du fusain. Après avoir schématisé ces lignes fondamentales, esquissez le pont et les arbres situés sur la gauche.*

2. *Le schéma de cet exercice est tellement simple que la pose des taches initiales est rapide. Définissez uniquement les principaux contrastes du paysage. Préparez tout d'abord une couleur très maigre, mais d'une densité suffisante pour que vous puissiez l'appliquer sans dégoutter sur la surface du tableau. Utilisez-la pour peindre les montagnes. Peignez ensuite toute la végétation située sur la gauche et la zone sombre à l'aide d'une couleur plus dense et plus foncée. Ces touches de couleur doivent être appliquées sur le bleu maigre du fond. Peignez le ciel dans un ton presque blanc, auquel vous aurez ajouté quelques gouttes d'huile de lin pour le fluidifier.*

3. *Peignez directement la zone correspondant à la végétation, à l'aide de bleu outremer et de bleu de cobalt ; le tracé entraînera une partie de la couleur du fond. La surface de l'eau doit être réalisée dans un ton bleuté très gris. Étant donné qu'il s'agit de la zone sur laquelle vous effectuerez les changements les plus importants, cette première application doit faire intervenir une couleur maigre. Vous l'obtiendrez en mélangeant différents tons de bleu, de vert et de blanc. Les nombreuses touches de couleur que vous appliquerez dans cette zone devront être allongées et horizontales.*

4. *Continuez à travailler sur les arbres situés sur la rive à l'aide de tracés plus précis et plus détaillés que les précédents. La couleur obtenue par entraînement lors de l'application précédente constitue maintenant le fond de ces nouvelles touches de couleur. Revenez à l'eau : appliquez-y des touches de couleur plus denses, mélangées à du blanc ; commencez par la zone supérieure, puis répétez les tracés horizontaux jusqu'au bas du tableau. Peignez cette zone bleutée dans des tons plus foncés très peu dilués dans de l'essence de térébenthine. Vos tracés doivent être appuyés pour que les touches se mélangent sur le fond.*

5. *La pose des taches terminée, les mélanges de couleurs ne devront plus renfermer d'essence de térébenthine. Appliquez des touches directes de bleu foncé sur la zone la plus sombre de l'eau. Soignez la qualité des tracés. Ils ne doivent pas être tous identiques : certains doivent être courts, d'autres allongés, et quelques-uns doivent fusionner avec les tonalités précédentes. Si la couleur est trop épaisse, vous pouvez y ajouter un peu d'huile de lin, mais en quantité réduite pour éviter qu'elle devienne trop fluide.*

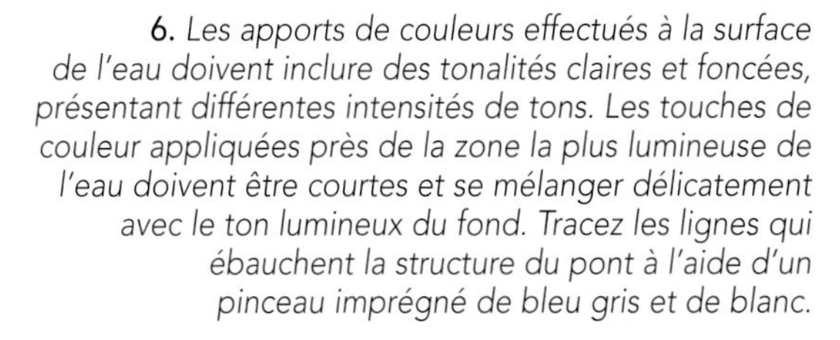

6. *Les apports de couleurs effectués à la surface de l'eau doivent inclure des tonalités claires et foncées, présentant différentes intensités de tons. Les touches de couleur appliquées près de la zone la plus lumineuse de l'eau doivent être courtes et se mélanger délicatement avec le ton lumineux du fond. Tracez les lignes qui ébauchent la structure du pont à l'aide d'un pinceau imprégné de bleu gris et de blanc.*

7. Les touches de couleur appliquées à la surface de l'eau doivent maintenant être plus fines et plus détaillées. Le pinceau ne doit pas être trop chargé, il doit l'être juste assez pour être en mesure d'altérer le ton de la couche précédente. Retracez la partie droite du pont à l'aide de touches parfaitement rectilignes. Exécutez ensuite la dernière phase concernant les arbres ; les touches de couleur doivent être particulièrement précises. Appliquez de très petites taches qui se mélangeront avec le fond, mais n'insistez pas trop, car elles ne doivent pas aller jusqu'à fusionner totalement avec celui-ci. Pour terminer l'exécution du pont, appliquez des touches foncées et rectilignes qui se superposeront aux précédentes. Pour finir, peignez la zone la plus lumineuse de l'eau, ainsi que quelques reflets ponctuels, à l'aide d'un blanc légèrement cassé et très direct.

SCHÉMA-RÉSUMÉ

Le schéma initial doit être réalisé au fusain. La ligne d'horizon permet de définir le paysage.

Les montagnes du fond doivent être peintes dans **un bleu maigre.** Cette couche servira de base à des tons plus denses.

Les arbres situés sur la gauche doivent être peints à l'aide d'un bleu très peu dilué dans de l'essence de térébenthine. Les touches doivent être courtes et directes.

Le rendu définitif du **ciel** s'obtient à l'aide d'une couleur très lumineuse, proche du blanc.

L'eau se résout à l'aide de couches successives. Les premières doivent être très maigres. Elles serviront de support aux couleurs ultérieures, de plus en plus denses et contrastées.

Les touches qui définissent les reflets sur l'eau doivent être très ponctuelles et définitives.

THÈME

9 Couteau et pinceau

COUTEAU SUR PINCEAU : EMPÂTEMENTS

Le couteau est un outil qui s'avère bien plus utile dans le domaine de la peinture à l'huile que l'on ne pourrait l'imaginer. Nous avons déjà vu quelques-unes des possibilités offertes par cet instrument. Dans ce nouveau chapitre consacré au couteau, nous vous proposons d'étudier de nouvelles possibilités techniques, impossibles à résoudre avec tout autre instrument de peinture. Le travail au couteau est très différent de celui susceptible d'être réalisé avec n'importe quel type de pinceau. Les combinaisons techniques proposées ici constituent un pas de plus vers la connaissance de la technique qui combine couteau et pinceau.

La technique du couteau offre de nombreuses possibilités. Le fil du couteau, qui est affilé, permet de couper et d'étendre la couleur par entraînement. Étant donné le caractère onctueux de la couleur à l'huile, l'aspect des tracés et des taches exécutés au pinceau est très variable. Cette technique d'application offre donc une infinité de possibilités créatives. Après avoir revu le thème précédent, consacré à cette technique, voici un nouvel exercice qui combine différentes possibilités, au pinceau comme au couteau.

1. *Il convient de travailler en premier lieu au pinceau pour faciliter le tracé. Étant donné qu'il n'est pas nécessaire d'appliquer une grande quantité de couleur pendant les premières phases d'exécution, il n'est pas utile d'employer le couteau dès le début. Ce qui importe ici est la pose des taches initiales et la mise en œuvre de la couleur. Il est essentiel de ne pas trop diluer la couleur dans de l'essence de térébenthine, à moins de la laisser sécher. La pose de touches de couleur épaisses et directes permet d'ébaucher rapidement le volume des masses principales.*

3. *Pour mélanger deux couleurs, il vous suffit d'effectuer plusieurs passages de couteau sur la même zone. Prélevez une couleur foncée sur la palette et tracez le tronc des arbres avec le fil du couteau. Passez le couteau à plusieurs reprises, jusqu'à ce que le tracé acquière la consistance nécessaire. Pour peindre le ciel, utilisez différents types de couteau : flexibles pour les zones dans lesquelles les couleurs ne doivent pas se mélanger, et d'autres plus rigides, pour les portions du tableau qui requièrent un mélange de couleurs.*

2. *Après avoir ébauché le modèle au pinceau, prélevez la couleur sur la palette avec le fil du couteau. Déposez la couleur, qui se trouve sur la partie plane du couteau, sur la toile et étalez-la en appuyant légèrement. En principe, il n'est pas nécessaire de charger excessivement le tableau. L'empâtement des couleurs peut être réalisé au fur et à mesure de son élaboration. Passez la partie plane du couteau chargée de carmin légèrement mélangé avec du blanc sur les couleurs précédentes. La superposition de deux couleurs provoque un léger effet de mélange dû à l'entraînement de la première couche.*

▶ 1. *Le schéma doit être réalisé au pinceau et à l'aide d'une couleur foncée. À ce stade du travail, vous pouvez effectuer autant de corrections que vous le jugez nécessaire, puisque la couleur appliquée au couteau couvrira totalement les couches précédentes. Après avoir résolu la schématisation initiale et les principales zones foncées, peignez la totalité du fond au pinceau. Un tracé rapide vous permettra de définir la forme de l'animal.*

PREMIERS EMPÂTEMENTS

Dans l'exercice que nous vous avons proposé au début de ce thème, vous avez réalisé plusieurs empâtements et combiné l'emploi du couteau et celui du pinceau de diverses façons. Le couteau permet d'obtenir différents types d'empâtements. L'une des possibilités offertes par cet instrument est l'exécution de petites taches de couleur très ponctuelles. L'effet obtenu est l'un des plus spectaculaires susceptibles d'être exécutés au couteau, car il permet de créer une grande variété de textures dans une même zone. Pour vous exercer à cette technique, nous vous proposons de peindre la tête d'un chien. Prêtez une attention particulière à la superposition des empâtements qui suit la mise en œuvre au pinceau.

▶ 2. *La pose des taches de couleur sur la tête du chien doit s'effectuer à l'aide d'empâtements directs au couteau. Préparez tout d'abord un blanc grisâtre en y ajoutant d'autres tonalités de la palette, puis appliquez-en de petites taches sur la partie la plus lumineuse de la tête. Les applications au couteau doivent être directes et la pression exercée sur la toile doit être calculée pour que la surface peinte conserve une texture très lisse et que le passage du couteau soit visible. Utilisez une couleur presque noire mélangée à du bleu de cobalt pour peindre les principaux tons foncés des poils du chien. Ces touches de couleur très directes, posées au couteau, ne doivent pas être aussi courtes que celles que vous avez appliquées sur le museau de l'animal.*

▶ 3. *La continuité des touches de couleur foncées, posées au couteau, permet de tracer la forme définitive de la tête. Elles se superposent aux tons les plus lumineux. Pour le moment, ne vous attachez pas aux détails qui définissent les formes et les caractéristiques de l'animal ; vous le ferez plus tard. L'aspect le plus important de cette phase d'empâtement est la préservation du ton des couleurs : il est important d'éviter qu'elles ne se contaminent mutuellement.*

POSSIBILITÉS OFFERTES PAR LE COUTEAU

Contrairement aux apparences, le couteau permet d'exécuter des travaux d'une grande précision. Selon la façon dont la couleur est répartie sur la lame et l'incidence de celle-ci sur la surface du tableau, le couteau permet de réaliser toutes sortes de détails. Il convient néanmoins d'acquérir une certaine pratique pour bien maîtriser cette technique. Observez attentivement l'aspect final du modèle de l'exercice précédent, dont les finitions ont été uniquement réalisées au couteau : une grande partie des taches et des tracés très variés que vous y voyez sont très difficiles à obtenir au pinceau.

1. *Le couteau permet de peindre toutes sortes de traits, d'aplats et de taches selon la façon dont il est utilisé, mais les caractéristiques du tracé dépendent aussi de l'état de la surface sur laquelle la couleur est appliquée. En effet, si la zone concernée est trop imprégnée de couleur, il est impossible d'obtenir des détails épurés. La pose répétée de petites taches de couleur appliquées dans le même sens permet de donner forme à chacune des parties du chien. Tout en définissant les plans de la tête, incorporez-y de nouvelles tonalités bleutées. La pose de petites taches de couleur et l'entraînement des couches précédentes permet de préciser progressivement les traits de l'animal. Observez l'illustration ci-contre : il existe une différence très nette entre les touches de couleur posées sur la zone supérieure du museau, qui sont inclinées, et celles appliquées sur le reste de la tête, qui sont verticales.*

2. *Retracez les formes de l'animal à l'aide de petites taches directes de couleur foncée que vous étalerez avec la pointe du couteau. Les contrastes définitifs doivent être réalisés en dernier lieu. Le cas échéant, vous pouvez également retirer une partie de la couleur dans les zones où elle présente une épaisseur excessive.*

PETITES TACHES ET DÉPLACEMENT DE LA COULEUR

Comme vous avez pu le constater dans les deux thèmes que nous avons consacrés à l'emploi du couteau, il s'agit d'une technique très riche. Ce procédé est une source de créativité étonnante pour le peintre amateur. L'exercice que nous vous proposons ici consiste à représenter une cascade. Les déplacements de couleur vous permettront de reproduire la chute d'eau à la perfection.

▶ 1. *Après avoir réalisé un schéma rapide de la structure de la cascade, vous pouvez commencer à définir les principales zones du tableau au pinceau. Cette ébauche initiale terminée, utilisez le couteau pour appliquer des touches homogènes de bleu sur la zone correspondant au ciel. Préparez ensuite un gris sale en le mélangeant avec les autres couleurs de la palette et appliquez-le sur la zone rocheuse. Ce mélange ne doit pas être uniforme, car la surface de la toile doit présenter ici un aspect jaspé.*

3. *Le travail concernant la cascade s'effectue à l'aide de touches libres, appliquées et étalées au couteau. Le tracé doit être allongé et suivre la forme de la chute d'eau. Le geste doit donc être ample et assuré. La couleur entraînée par le couteau salit le fond. Appliquez ensuite une forte touche de couleur blanche destinée à couvrir toute la partie supérieure de la cascade. Pour reproduire la texture des pierres, appuyez le couteau sur la couleur et retirez-le d'un geste rapide : la couleur soulevée formera de petites aspérités.* ▲

▶ 2. *Peignez les roches dans des tons verts et ocre. La texture de cette zone doit être plane et mince, car elle servira de base aux couches suivantes. Peignez la zone correspondant à la cascade. Étant donné qu'il vous faut simplement la salir, il vous suffit d'utiliser le fil du couteau pour étaler délicatement la couleur que vous avez employée pour peindre les roches. Appliquez du blanc sur le fond sale et mélangez-le avec la couche précédente.*

pas à pas

La rive

Bien que n'importe quel thème puisse être élaboré au couteau, l'emploi de cet outil est particulièrement adapté à l'exécution de sujets qui n'impliquent pas une très grande précision de tracé. Nous vous proposons d'appliquer les techniques que vous avez apprises jusqu'ici à ce nouvel exercice, qui consiste à réaliser un paysage fluvial. Pour étudier les différents types de tracés et d'empreintes pouvant être obtenus à l'aide d'un couteau, nous avons choisi un modèle présentant des points de lumière et des contrastes fortement marqués. Le travail au couteau est beaucoup plus rapide que le travail au pinceau, car le couteau permet d'appliquer une quantité de peinture beaucoup plus élevée et facilite sa répartition sur la toile.

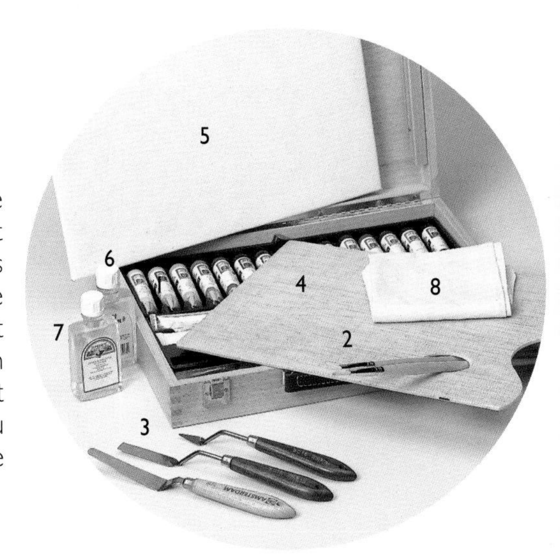

MATÉRIEL NÉCESSAIRE

Couleurs à l'huile (1), pinceaux (2), couteaux (3), palette (4), carton entoilé (5), huile de lin (6), essence de térébenthine (7) et chiffon (8).

1. *L'ébauche du paysage doit être réalisée au pinceau. Les tons foncés doivent être traités de façon très directe, sans accorder d'importance à la forme précise des contours. Trempez le pinceau dans de l'essence de térébenthine, puis égouttez-le soigneusement. Il doit être presque sec au moment d'appliquer la couleur pour que les interventions suivantes, réalisées au couteau, puissent s'effectuer sur une base imprégnée d'essence de térébenthine, mais en même temps très sèche.*

2. *La première application de couleur doit être effectuée au pinceau, car ce travail serait laborieux à exécuter au couteau. La seconde raison pour laquelle il convient de réaliser cette opération au pinceau est que cet instrument permet de poser une base de couleur peu épaisse, dont l'empâtement augmentera progressivement au fur et à mesure de l'avancement du tableau. Le coup de pinceau doit être direct et spontané. L'objectif de cette première phase est uniquement de résoudre les principales masses de couleur, sans tenir compte des détails.*

Lorsqu'une zone est trop empâtée, il convient de retirer la couleur avec le fil du couteau et de procéder à une nouvelle application.

3. *Après avoir terminé l'application de la base de couleur au pinceau, commencez à travailler au couteau. Posez de petites taches de couleur vertes et jaunes sur la zone de végétation située sur la droite. Pour obtenir cette texture, la pression exercée sur la toile doit être minimale. Appuyez le couteau sur la couleur fraîche et retirez-le d'un geste rapide. Le couteau entraînera inévitablement une partie de la couche précédente et les couleurs se mélangeront ainsi directement sur la toile.*

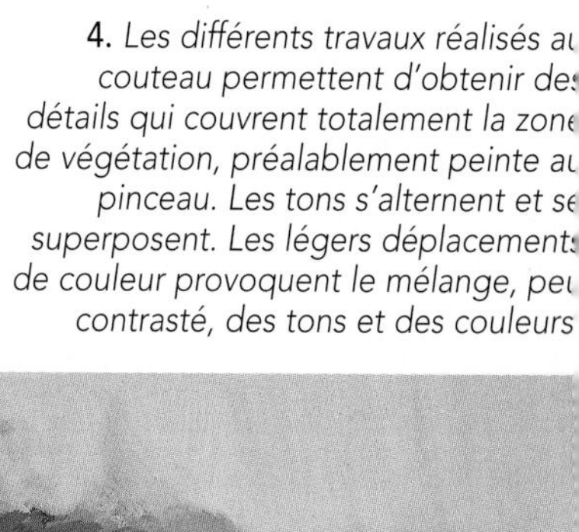

4. *Les différents travaux réalisés au couteau permettent d'obtenir des détails qui couvrent totalement la zone de végétation, préalablement peinte au pinceau. Les tons s'alternent et se superposent. Les légers déplacements de couleur provoquent le mélange, peu contrasté, des tons et des couleurs.*

5. Utilisez un petit couteau et du vert foncé pour peindre toute la végétation située dans le fond. La texture de cette zone ne devra pas être aussi accentuée que celle qui se trouve au premier plan. Posez ensuite de délicates touches de bleu et de vert, qui se mélangeront avec le fond, sur la zone la plus proche de l'eau. Peignez la zone correspondant au ciel en blanc. Le plat du couteau doit glisser délicatement sur la surface de la toile pour déposer le blanc. Exercez une pression uniforme sur la toile pour que le blanc se fonde avec le bleu de la couche précédente.

6. Appliquez de petites taches de couleur superposées sur la zone de végétation située sur la droite et sur l'eau. Posez un grand nombre de taches de couleur verte au premier plan. Appliquez-les délicatement au couteau pour éviter qu'elles ne se mélangent avec le fond. Pour obtenir la texture de la végétation, travaillez rapidement en utilisant le fil de la lame. Employez de fortes touches directes de couleur blanche pour reproduire les reflets sur l'eau.

7. La texture de la végétation située au premier plan s'obtient à l'aide de petites taches de couleur légèrement terreuses. De rapides tracés directs réalisés avec la pointe du couteau vous permettront de façonner la végétation dans cette zone. Pour terminer, il ne vous reste plus qu'à finir de modeler les blancs de la surface de l'eau grâce à un tracé délicat en forme de Z.

SCHÉMA-RÉSUMÉ

Le couteau permet de déplacer les couleurs, de réaliser des aplats et de poser de petites taches. Le ciel s'obtient en appliquant du blanc, qui entraîne la couche précédente.

Avant d'intervenir au couteau, il est important de définir les zones qui vont être peintes au pinceau, à grands traits. **La première intervention** s'effectue directement au pinceau sur la toile et permet d'ébaucher les formes des tons foncés.

Le couteau permet de réaliser d'impressionnants déplacements de couleur. Chaque partie du couteau possède une utilité différente. **Les petites taches jaunes,** qui s'obtiennent en appuyant le couteau sur la couleur fraîche et en le retirant d'un geste rapide, entraînent une partie de la couche précédente.

L'eau se représente à l'aide de petites taches de couleur blanche qui se fondent en zigzag.

THÈME

10 Technique mixte

HUILE SUR ACRYLIQUE

La couleur à l'huile peut être mélangée à divers matériaux qui modifient sa texture ou combinée directement sur la toile à d'autres procédés picturaux, tels que l'acrylique. Au début de cet ouvrage, nous avons étudié la possibilité d'apprêter une toile à l'aide de gesso acrylique. Si vous avez réalisé cet exercice, vous avez pu constater que l'acrylique sèche rapidement et que ce médium constitue une base parfaite pour la peinture à l'huile. L'acrylique est non seulement un enduit parfait, elle peut aussi être utilisée pour exécuter les taches de couleur initiales et créer des textures sur la toile, avec la garantie d'un séchage rapide et élastique.

Le gel acrylique permet d'obtenir des enduits présentant une texture particulière. Il offre la possibilité de créer un volume puis, lorsque celui-ci est sec, de repeindre la zone concernée sans modification de la texture d'origine. Pour vous exercer à ce type d'effet, nous vous proposons d'exécuter un paysage comportant des arbres et dont le support devra être apprêté à l'aide d'un gel de haute densité. Le gel a l'apparence d'une pâte de couleur laiteuse pendant la phase d'application sur le support. Une fois sec, il devient transparent.

1. *Pour obtenir cette couleur sombre sur le contre-plaqué, il vous suffit de diluer une petite quantité de couleur acrylique noire dans de l'eau et de l'appliquer sur le support à l'aide d'une brosse large. En quelques minutes, le fond sera totalement sec. Cela étant, vous pourrez appliquer le gel de haute densité grâce auquel vous définirez la forme de la cime des arbres. Vous pouvez réaliser cette opération au pinceau et au couteau pour obtenir la texture voulue. Utilisez un gel de texture et de la poudre de marbre pour créer la texture de la zone inférieure.*

2. *Le fond a vite séché. Vous pouvez maintenant commencer à peindre à la couleur à l'huile. Cette technique facilite la peinture en relief, car toute la base du tableau est déjà peinte. Peignez le ciel en mélangeant du bleu céruléen, du blanc et du bleu de cobalt. Ce mélange doit être effectué directement sur le support. Les arbres présentant déjà une certaine texture, une petite quantité de peinture suffit.*

3. *Appliquez quelques touches lumineuses dans la partie inférieure de ce paysage. Elles vous permettront de préciser la définition du terrain et de souligner le relief des arbres.*

▶ 1. *Le mélange de la couleur à l'huile et des matériaux à incorporer s'effectue sur la palette. Pour obtenir une texture satisfaisante, versez une petite quantité de matériau sur la couleur et mélangez-les à l'aide d'un pinceau ou d'un couteau, jusqu'à ce que la couleur ait complètement absorbé la charge minérale. La quantité de matériau à incorporer dépend de vos besoins. Vous pourrez appliquer ces mélanges après avoir réalisé l'exercice suivant.*

CHARGES MINÉRALES

Le matériau inerte ne provoque aucune réaction chimique lorsqu'il est mélangé à de la couleur à l'huile. Pour entrer dans le monde passionnant des textures, nous vous conseillons de commencer par des charges minérales qui présentent une texture régulière et ne posent aucun problème de mélange ; c'est le cas de la poudre de marbre et de l'oligiste. Nous vous proposons ici de commencer à incorporer des matériaux dans le cadre d'un exercice résolument abstrait.

▶ 2. *Comme nous l'avons vu au début de cet ouvrage, les pâtes et les gels acryliques permettent d'apprêter une surface pour que celle-ci acquière une certaine texture. Ils présentent également l'avantage d'un séchage très rapide. Il existe de nombreux types de gels qui permettent de doter le support de diverses caractéristiques : certains peuvent en augmenter considérablement l'épaisseur, alors que d'autres incorporent d'entrée des charges minérales telles que la poudre de marbre. Cet exercice vous montre comment appliquer du gel de texture sur une surface.*

L'un des grands avantages de l'emploi d'un gel acrylique pour enduire ou apprêter une surface est la facilité avec laquelle les outils employés peuvent être nettoyés : il suffit de les passer sous l'eau.

▶ 3. *Il n'est pas nécessaire d'utiliser une grande quantité de gel acrylique ; il suffit de pouvoir l'étaler au couteau. L'aspect du gel sec dépendra de la façon dont vous l'aurez appliqué. Passez le couteau chargé de gel acrylique sur le support, en effectuant un tracé circulaire. Répartissez ensuite le gel sur la surface du support avec ce même couteau et donnez-lui la texture que vous souhaitez lui voir acquérir. Continuez à appliquer du gel au couteau jusqu'à ce que vous obteniez une texture uniforme.*

1. *Utilisez de la couleur à l'huile terre de Sienne à laquelle vous aurez incorporé une charge minérale pour peindre une large bande au centre du support, en combinant l'emploi du couteau et du pinceau. La trace laissée par le couteau varie en fonction de la charge minérale incorporée à la couleur. Perpendiculairement à cette bande de couleur marron, peignez une autre bande d'un noir très dense et à la texture marquée. Utilisez de la couleur rouge à laquelle vous aurez incorporé de la poudre de marbre pour tracer un cercle au centre de la composition.*

FINITIONS À LA COULEUR À L'HUILE

Après avoir défini la base de texture ci-dessus, laissez sécher l'ensemble pendant quelques minutes. Vous pouvez accélérer le séchage à l'aide d'un sèche-cheveux. Ce processus permet non seulement d'enduire la surface du support de façon appropriée, mais aussi de la doter de la texture qui primera tout au long de son exécution. Afin de poursuivre cet exercice, vous devrez employer une couleur à l'huile mélangée à de l'oligiste. Si vous ne disposez pas de ce matériau, vous pourrez le remplacer par de la poudre de marbre ou du sable lavé.

2. *Lorsque la texture du tableau est définie, vous pouvez déplacer la couleur à l'aide du couteau, gratter la surface avec l'extrémité du pinceau et aplanir le relief pour créer différents plans. Réduisez la largeur de la bande horizontale au couteau pour définir les formes de façon précise. Vous pouvez appliquer la couleur que vous avez retirée dans la partie inférieure du tableau.*

3. *Plus la texture est épaisse, plus vous perdez en précision. Pour terminer, retracez la bande située sur la droite et le gris bleuté qui se trouve dans la zone inférieure. Appliquez-y ensuite une nouvelle tache noire présentant une texture plus marquée en incorporant une plus grande charge minérale que la couleur de base.*

TACHES RAPIDES ET SÉCHAGE

Au cours du premier exercice de ce thème, vous avez créé une série de textures sur un enduit de gel acrylique, mais il existe d'autres méthodes pour obtenir des textures : vous pouvez mélanger la couleur à l'huile à de la poudre de marbre, à du sable ou à toute autre charge minérale. Cette technique vous permettra de disposer d'une texture propre à la couleur employée et différente de la texture habituelle de la couleur à l'huile.

▶ **1.** *Le mélange de couleur à l'huile et de poudre de marbre doit être réalisé sur la palette. Mélangez de la couleur ocre et la quantité appropriée de poudre de marbre. La méthode la plus pratique consiste à séparer un petit peu de couleur avec le couteau et à y ajouter progressivement la charge minérale, jusqu'à obtention de la texture voulue. Appliquez ce mélange au couteau. Pour représenter les sillons du terrain, grattez la surface du support au couteau. Modelez la couleur directement sur le tableau.*

Le séchage de la couleur à l'huile étant assez lent, le résultat obtenu ne peut être vérifié immédiatement, surtout dans le cas des travaux qui font intervenir des textures. Il est néanmoins déconseillé d'employer du siccatif de cobalt pour accélérer le séchage. Utilisez plutôt un médium spécialement conçu pour ce genre de travaux ou du vernis hollandais. Pour que le tableau conserve sa couleur et sa texture, il est préférable qu'il sèche naturellement.

▶ **3.** *Les contrastes des zones éclairées du terrain s'obtiennent en appliquant de petites taches directes de noir sur les sillons. Enrichissez la texture du terrain en y peignant des tons foncés que vous mélangerez directement sur le tableau et en déplaçant les couleurs pour qu'elles se superposent.*

▶ **2.** *Le manque de définition des tracés donne un aspect beaucoup plus réaliste à la texture du terrain labouré.*

Nu et techniques mixtes

L'emploi de couleurs à l'huile mélangées à des charges minérales permet d'obtenir un effet plastique très différent de celui qu'offre la couleur lorsqu'elle sort directement du tube. Les tracés effectués avec des couleurs à l'huile mélangées à des charges minérales ne possèdent pas un caractère aussi défini et aussi doux que ceux réalisés avec des couleurs onctueuses, exemptes d'additifs, surtout lorsque le travail implique la création de textures très marquées. Ne cherchez donc pas à obtenir des finitions détaillées. L'aspect le plus important est ici l'harmonie de l'ensemble des éléments du tableau.

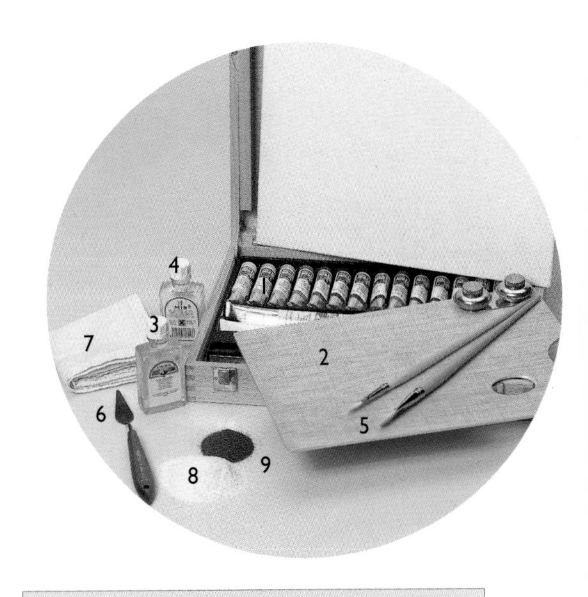

MATÉRIEL NÉCESSAIRE

Couleurs à l'huile (1), palette (2), huile de lin (3), essence de térébenthine (4), pinceaux (5), couteau (6), chiffon (7), poudre de marbre (8) et oligiste ou sable fin (9).

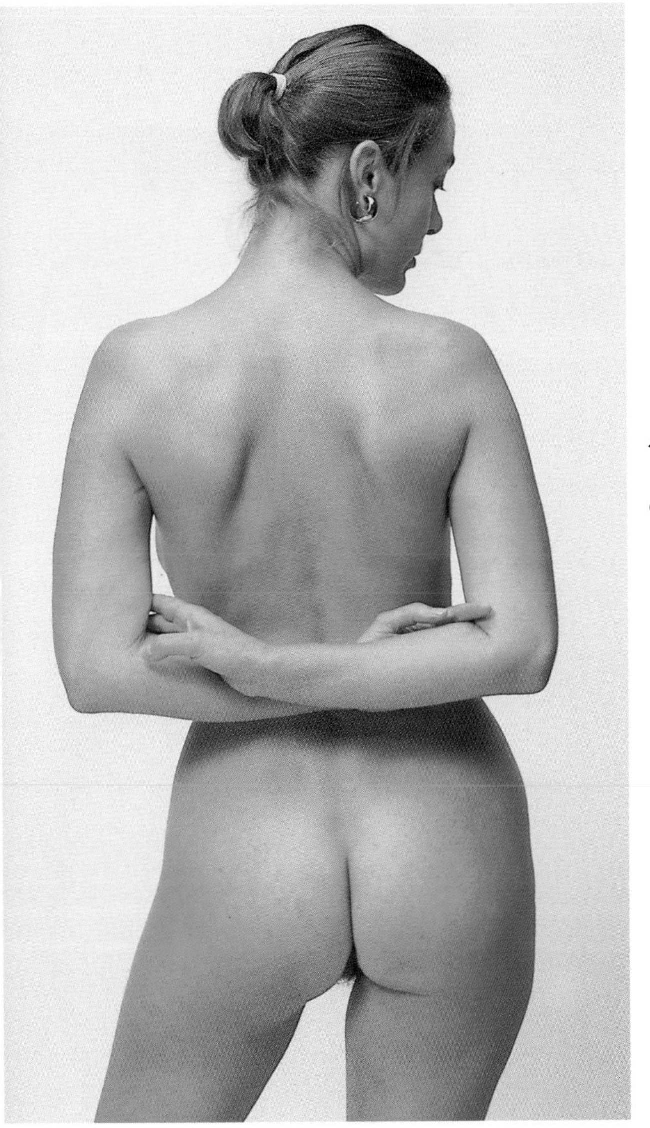

1. *Le schéma de ce modèle doit être simple, car cet exemple ne requiert pas un rendu délicat. Ce schéma servira uniquement de référence pour les différentes applications de couleur. Enduisez tout d'abord la toile d'un ton crème. Lorsque cette base est sèche, schématisez directement la figure à la couleur à l'huile. Utilisez une couleur maigre pour que la touche soit rapide et fluide. Le schéma étant terminé, commencez à appliquer la couleur, à laquelle vous aurez ajouté une petite quantité de poudre de marbre, sur le fond.*

2. Mélangez une couleur orangée et de l'oligiste. La texture de cette poudre minérale étant plus fine que celle de la poudre de marbre, les premiers empâtements seront assez délicats. Posez la couleur claire de la partie supérieure du dos et superposez-y le ton foncé qui se trouve sur la droite pour situer les principaux tons des zones d'ombre et de lumière. Utilisez également cette couleur, que vous aurez rabattue en y ajoutant du blanc, pour peindre la zone éclairée du dos. Toutes ces applications doivent être effectuées au couteau.

Il est fortement déconseillé d'employer des matériaux susceptibles de se détériorer au contact de la couleur à l'huile : papier, grains de riz ou pain. Il faut également éviter d'utiliser des plâtres ou des craies, car elles absorberont l'huile de la couleur.

3. Après avoir peint la partie supérieure du corps, passez à la mise en œuvre de la partie inférieure. La différence entre ces deux zones est évidente en ce qui concerne le traitement et la texture. Pour l'instant, les couleurs sont beaucoup plus lumineuses dans la partie inférieure. Appliquez tout d'abord les couleurs les plus claires pour que les zones éclairées soient délimitées par les zones plus foncées, sans avoir recours à des mélanges. Peignez le fond dans un bleu très lumineux, auquel vous aurez préalablement incorporé de la poudre de marbre sur votre palette.

4. *Le pinceau permet d'appliquer des couches épaisses de façon beaucoup plus précise que le couteau, car le tracé de la touffe est plus calligraphique et gestuel. De toute façon, le tracé ressortira sur le tableau, car il est très évident. Peignez les bras en utilisant une charge minérale bien inférieure à celle que vous avez employée pour le reste du corps. Appliquez plusieurs touches de terre de Sienne très claires sur les parties sombres du dos. Assombrissez légèrement les hanches pour suggérer l'ombre des bras. Vous créerez ainsi un fort contraste avec la zone de lumière du fessier.*

6. *Pour définir les formes qui semblent moins précises, utilisez un pinceau et une couleur à l'huile légèrement fluide mélangée à de l'huile de lin. Cela vous permettra d'étaler une partie de la charge minérale. Modelez la forme des bras, le dos et la partie inférieure à l'aide de touches délicates très libres. Ajoutez une charge minérale assez importante sur le fond, dans la zone située près de la hanche droite, pour contraster plus fortement la forme et définir totalement cette partie du tableau.*

5. *Accentuez les tons foncés de la zone inférieure. Ajoutez-y des charges minérales à l'aide de quelques touches précises, éalisées au couteau. Les couleurs ne doivent pas se fondre entre elles. Au contraire, les changements de texture dus aux différentes pressions exercées sur le couteau doivent provoquer un choc plastique.*

7. Il ne vous reste plus qu'à ajouter un nouveau contraste sombre dans la partie inférieure. Posez une tache de terre de Sienne sous les bras et modelez la zone claire du fessier à l'aide d'un ton lumineux. Il existe une différence très nette entre les divers tons qui composent la figure. N'oubliez pas de nettoyer soigneusement votre matériel à la fin de la séance.

Éliminez soigneusement toute trace de peinture ou de matériau présente sur les pinceaux en fin de séance pour éviter qu'ils ne se détériorent. Il est impératif de prendre soin des pinceaux comme de la palette, qu'il convient de gratter avec un couteau de peintre avant de la nettoyer avec de l'essence de térébenthine.

SCHÉMA-RÉSUMÉ

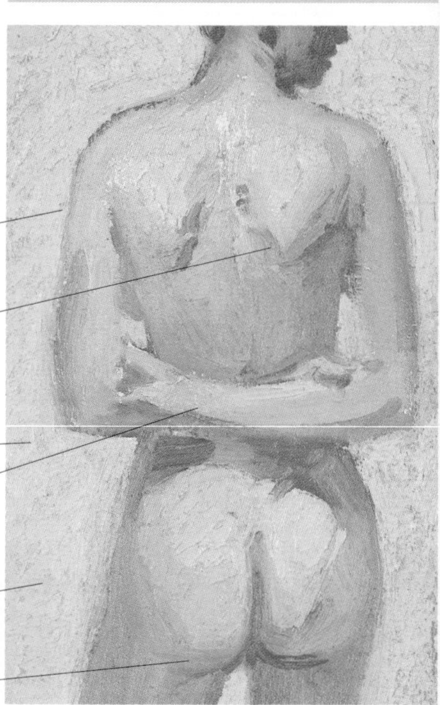

Le dessin doit être tracé à l'aide d'une couleur à l'huile très fluide, sans que celle-ci dégoutte sur le tableau.

Le dos doit être peint avec un mélange d'oligiste et de couleur à l'huile. Ce mélange doit être réalisé sur la palette.

Le fond, beaucoup plus grossier que le corps, se résout à l'aide de poudre de marbre.

Le rendu du bras requiert très peu de charge minérale, mais il n'est pas nécessaire d'abolir toute intervention de poudre de marbre ou d'oligiste.

La charge minérale du fond doit être renforcée sur le côté droit pour accentuer le contraste des textures.

Le contraste de la figure doit être réaffirmé à l'aide de touches libres.

THÈME

11

De la schématisation à la tache de couleur

LA SCHÉMATISATION DU CORPS HUMAIN

L'étude du modèle est l'un des points les plus complexes à résoudre pour le peintre amateur. Cela est essentiellement dû à un problème de compréhension des formes à représenter. Dans les divers thèmes étudiés jusqu'ici, vous avez vu différentes options concernant la schématisation du modèle. Nous vous proposons ici deux exercices consacrés plus longuement à la transition entre la schématisation initiale et la pose de taches de couleurs, ainsi que sur les finitions du tableau.

Dans les thèmes précédents, vous avez appris à structurer les formes avant de commencer à peindre. C'est une étape indispensable pour toute représentation du corps humain, quelle que soit la complexité du modèle. La schématisation de ce type de sujet se différencie essentiellement de celle des précédents par le caractère plus synthétique du dessin, qui doit faire abstraction des détails superflus pour mieux capter la structure générale des formes. Celles-ci seront définies ultérieurement de façon plus détaillée.

Le schéma doit être concis et exécuté le plus rapidement possible.

▼ 1. *Nous avons déjà vu, à plusieurs occasions, comment une forme complexe peut être représentée par un ensemble de formes très simples. Ce procédé peut être utilisé pour tout modèle, qu'il soit simple ou difficile à représenter. Lorsqu'un peintre amateur affronte directement la représentation du sujet, sans passer par cette phase préalable, il est plus que probable que le résultat final ressemble peu ou pas du tout au modèle. Nous vous conseillons de prendre l'habitude d'esquisser la forme du sujet que vous allez peindre à l'aide d'une structure simple. L'évolution de cette forme sera ainsi beaucoup plus compréhensible.*

▶ **2.** *Après avoir défini les formes principales, vous pourrez élaborer le dessin définitif, qui s'inscrira à l'intérieur de cette structure et servira de base à la couleur. La schématisation est la première étape au cours de laquelle la forme représentée sur la toile se rapproche de celle du modèle. Ces premières lignes auront totalement disparu lorsque le tableau sera terminé, mais consacrez néanmoins tout le temps nécessaire à cette phase de travail. Dans le cas présent, le sujet étant une figure, les proportions acquièrent une importance vitale.*

◀ **3.** *Commencez à travailler à la couleur en vous basant sur les premières lignes et sur le schéma ultérieur. Utilisez une couleur fortement diluée dans de l'essence de térébenthine. Pendant ces premières phases, il convient de faire abstraction des détails. Les premières interventions à la couleur constitueront la base des couches suivantes, qui seront beaucoup plus épaisses et plus directes.*

▼ 1. *La schématisation peut dès maintenant être considérée comme terminée puisque vous avez commencé à poser les premières taches de couleur. La base de couleur maigre que vous avez appliquée servira de support aux couches suivantes, qui viendront se superposer aux précédentes. Elle permettra également de définir les premiers tons. Les premières couleurs maigres, qui constitueront la base de ces nouveaux apports, fusionneront avec ces nouveaux tons et seront entraînées par ceux-ci. Les touches les plus denses permettent de définir plus précisément les contours des formes.*

POSE DE TACHES DE COULEUR ET CONSTRUCTION DE LA FIGURE

La pose des premières taches de couleur sur le schéma initial s'effectue à l'aide d'un pinceau imprégné d'essence de térébenthine et d'une petite quantité de couleur foncée. Il n'est pas nécessaire de vous attarder à corriger les erreurs éventuelles, il vous suffit de repasser le pinceau sur les tracés erronés.

2. *Les premiers tons plus foncés permettent de définir les formes et l'emplacement de la figure sur la toile. Contrairement à ce que pensent beaucoup de peintres amateurs, il est déconseillé d'utiliser du noir pour assombrir les couleurs foncées. En effet, en mélangeant du noir aux autres couleurs appliquées sur la toile vous obtiendrez un ton sale. Les couleurs permettant une plus grande liberté au moment de définir les contrastes les plus denses sont la terre d'ombre brûlée, le bleu de cobalt, la terre de Sienne et le brun Van Eyck. Le carmin foncé permet, lui aussi, d'enrichir les tons très denses du point de vue chromatique.* ▲

▶ 3. *Après avoir assombri le fond pour faire ressortir la figure, mettez en œuvre les derniers contrastes, qui permettront de parfaire définitivement les formes de la figure et les liaisons entre les différentes parties de celle-ci.*

LA SCHÉMATISATION D'UN PAYSAGE URBAIN

Après avoir étudié l'évolution de la figure à partir de sa schématisation et de la pose des premières taches de couleur, nous vous proposons d'établir un parallèle entre l'exercice précédent et un thème présentant une certaine complexité pour bon nombre de peintres amateurs : le paysage urbain. Si vous n'avez aucune difficulté de compréhension concernant les éléments qui le composent, ce type de sujet peut s'avérer très simple.

1. *Des lignes simples et droites vous permettront de définir la perspective formée par le mur et l'arche. Comme vous pouvez le constater, le mur situé sur la droite peut être représenté à l'aide d'une forme entièrement triangulaire ; l'arche qui lui est apposée peut, quant à elle, être schématisée sous la forme d'un rectangle.*

2. *Utilisez un pinceau imprégné d'une peinture maigre de couleur foncée pour retracer les lignes des murs et de l'arche, mais surtout les couleurs sombres qui définissent leurs formes, ainsi que les ombres principales. Le schéma initial étant maintenant parfaitement élaboré, vous pouvez commencer à travailler à la couleur.*

3. *Posez les premières taches de couleur ocre, très planes, sur la toile, en commençant par le mur situé sur la droite et l'arche. Tout comme dans l'exercice précédent, ce premier ton constituera une base pour toutes les couleurs que vous appliquerez ensuite. Le dessin ayant fait l'objet d'une étude préalable qui a permis de définir la structure initiale du tableau, l'élaboration de celui-ci pourra être rapide et précise. Le travail qui vous reste à effectuer ne sera donc pas entravé par l'un des problèmes susceptibles de se poser pour ce type de thème : la structure du tableau.*

ÉVOLUTION DES TACHES DE COULEUR

Bien qu'elles renferment une petite quantité d'essence de térébenthine, les touches doivent être directes. Au début, les couleurs doivent être appliquées de façon générale, sans faire intervenir trop de nuances. La phase de schématisation ayant permis de définir les différents plans, il convient de couvrir le plus tôt possible la totalité de la surface de la toile.

▶ **4.** *Il est nécessaire d'avoir recours à l'emploi de la palette lorsque les plans requièrent l'intervention de différentes tonalités d'une même couleur. En revanche, lorsque la couleur est destinée à nuancer ou à contraster une petite zone à l'intérieur d'un plan, il faut réaliser le mélange directement sur la toile. Préparez les couleurs qui forment chacune des zones du tableau de façon séparée. Après avoir appliqué ces couleurs, superposez-y de petites touches mélangées directement sur la toile. Pendant cette phase, posez les tons bleus sur les zones d'ombre situées sur la gauche. Utilisez une couleur rabattue à base d'ocre, de terre d'ombre et de blanc, pour peindre la zone éclairée du sol. Appliquez également les verts qui se trouvent sur la droite.*

◀ **5.** *Dès la phase précédente, le tableau est parfaitement structuré. Vous pouvez commencer à peindre les nuances propres à chaque zone. Répartissez les contrastes de façon générale et faites ressortir les ombres.*

▶ **6.** *Pour terminer, recherchez les points de lumière maximale de chacune des parties du tableau, ainsi que les contrastes les plus précis qui vous permettront de définir au mieux chacune de ces zones.*

pas à pas

Schématisation de figure

Tout au long de cet exercice, il est important que vous vous souveniez des points que nous avons étudiés dans ce thème, c'est-à-dire de l'obtention d'un schéma à partir de formes simples et de l'évolution de la couleur à partir d'une coloration générale. Les contrastes ponctuels et les reflets seront les éléments qui permettront de parfaire la définition des formes. Vous pourrez constater que le processus technique d'élaboration des différents thèmes est le même. Seuls le calcul des proportions et, si nécessaire, le degré d'achèvement changent.

MATÉRIEL NÉCESSAIRE

Couleurs à l'huile (1), palette (2), huile de lin (3), essence de térébenthine (4), chiffon (5), carton entoilé (6) et pinceaux (7).

1. *Ébauchez la figure en faisant abstraction du schéma préalable. Celui-ci a fait l'objet d'une surimpression sous la forme d'un graphique pour que vous puissiez l'étudier plus attentivement. À partir de ces formes très élémentaires, dessinez la figure au pinceau et à l'aide d'une couleur à l'huile foncée. Dans le cas des parties qui requièrent un tracé un peu plus définitif, vous pouvez humidifier la pointe du pinceau avec un peu d'essence de térébenthine pour obtenir une ligne continue. Ne passez à la phase suivante que lorsque l'ébauche sera parfaitement construite.*

2. Définissez rapidement la forme de la figure à l'aide d'une couleur orangée qui fera ressortir son profil. La touche de couleur qui décrit cette forme délimite la zone blanche que vous n'avez pas encore peinte. Tout comme dans les exemples précédents, peignez le fond de façon que les tons foncés délimitent les formes principales.

La couleur chair n'existe pas en tant que telle, mais il est possible de créer un ton de référence en mélangeant du jaune de Naples, du carmin, de la terre de Sienne, du blanc et une pointe de bleu pour les ombres. Selon l'environnement, vous pouvez éventuellement y ajouter une petite tache directe d'orange.

3. Après avoir coloré le fond, peignez la partie correspondant au ton moyen. Celui-ci vous permettra de délimiter parfaitement le profil gauche de la jambe. Peignez ensuite la partie centrale, mais dans un ton plus lumineux, rabattu à l'aide d'un peu de blanc. Posez des touches de couleur presque planes, sans gradation ni modelé, sur le bras et dans la zone correspondant à la poitrine. Pour le moment, les parties les plus éclairées doivent être laissées en réserve.

4. *Peignez la partie la plus brillante de l'épaule, de la poitrine et du cou à l'aide de touches très concrètes et lumineuses. Ces taches serviront de base à des tonalités un peu plus foncées, grâce auxquelles vous pourrez suggérer le volume sans avoir à modeler les tons au pinceau. Utilisez une couleur un peu plus foncée, teintée de terre de Sienne, pour adoucir la forme de la partie gauche de la jambe et du fessier. Réalisez ce mélange directement sur la toile. Appliquez des touches plus sombres de bleu et d'ocre que vous mélangerez directement sur la toile sur le drap que le personnage tient à la main.*

6. *Peignez les parties les plus sombres à l'aide d'un mélange de bleu, de terre de Sienne, d'orange et de carmin. Mélangez quelques-unes de ces touches directement sur la toile pour doter la figure d'une plus grande fraîcheur. Utilisez une couleur chair fortement rabattue à l'aide de blanc pour peindre les parties les plus éclairées, comme c'est le cas de la poitrine.*

5. *Utilisez une couleur chair très claire et lumineuse pour peindre le plan le plus éclairé de la jambe. Ces touches de couleur ne doivent pas fusionner. Comme vous pouvez le constater sur le détail ci-contre, les traits qui définissent la jambe sont courts, horizontaux et rapprochés.*

7. Il ne vous reste plus qu'à rehausser légèrement le ton des ombres les plus prononcées et à appliquer quelques reflets très marqués pour finir de peindre ce sujet. Laissez le bas du tableau tel quel. Les zones que vous n'avez pas peintes s'intègrent parfaitement au reste du tableau.
Pour terminer, une forte touche de couleur blanche vous permettra de contraster le drap que le personnage tient à la main.

SCHÉMA-RÉSUMÉ

Les reflets de la poitrine, obtenus à l'aide de petites taches très lumineuses, doivent être peints en dernier lieu.

Le blanc du drap est direct et très franc.

Le genou est représenté grâce à une double touche de couleur carmin très rabattue à l'aide de terre de Sienne et de blanc.

La partie inférieure ne doit pas être peinte.

THÈME 12

Nature morte : glacis, ombres et lumières

La nature morte constitue l'un des champs d'étude les plus intéressants pour l'apprentissage de la technique de la couleur à l'huile. L'intérêt majeur de ce sujet réside dans l'étude des ombres et des lumières, ainsi que de quelques-unes de ses principales techniques de représentation. Nous étudierons également d'autres points, applicables à tout autre thème.

TON ET GRADATION

Nous avons déjà abordé la gradation dans des thèmes précédents, mais il convient absolument d'insister sur ce point, car la représentation picturale repose en grande partie sur ce concept. Il est important que vous appreniez non seulement à représenter les lumières d'une nature morte, mais aussi à observer attentivement le modèle, car cet exercice, apparemment simple, fait référence à l'une des premières erreurs commises par tout peintre amateur lorsqu'il travaille d'après nature.

1. *Avant de commencer, il faut étudier d'après nature comment se répartissent les ombres sur toutes les zones du modèle. Observez attentivement cette pomme. Vous pourrez distinguer différents tons de lumière : un point de luminosité maximale (1), une zone de lumière indirecte (2), la zone d'ombre elle-même (3), la zone de lumière réfractée (4) et la zone d'ombre projetée (5).*

2. *Pour définir les ombres, il est important d'observer attentivement le modèle. Le schéma doit être réalisé au fusain. Après avoir schématisé la forme de la pomme et celle du bristol situé derrière le fruit, dessinez l'ombre la plus foncée du modèle, c'est-à-dire l'ombre projetée qui délimite la forme de la pomme.*

3. *Les premières touches de couleur que vous appliquerez sont destinées à représenter la zone d'ombre la plus foncée de la nature morte. Utilisez pour ce faire le ton le plus dense de celle-ci. Il convient d'éviter d'utiliser du noir pendant l'étude de la gradation, car il limite les nuances susceptibles d'être apportées par d'autres couleurs. Vous pouvez le remplacer par de la terre d'ombre brûlée ou par du brun. Peignez l'intérieur de l'ombre dans un ton plus lumineux pour accentuer le contraste.*

4. *D'un tracé délicat, faites fusionner les zones de lumière avec les zones d'ombre. Le coup de pinceau permet de façonner les ombres selon le plan qui convient à chacune des zones. La fusion entre les tons doit être douce.*

OMBRES ET ATMOSPHÈRE

Les multiples possibilités offertes par les ombres permettent de disposer d'un très riche éventail de ressources particulièrement utiles pour les finitions. Il est même possible de créer une certaine ambiance, une « atmosphère » autour de la nature morte, en utilisant une palette très réduite pour représenter les lumières. Pour obtenir une atmosphère déterminée, les tons d'ombre et de lumière doivent être en syntonie.

▶ **1.** *La schématisation doit être réalisée au fusain, car les tracés effectués à l'aide de cet instrument peuvent être corrigés immédiatement. Cela vous permettra, le cas échéant, de rectifier l'emplacement des principaux éléments du tableau. La forme de chacun d'entre eux doit être définie dès le schéma initial pour éviter toute erreur au moment de situer les ombres.*

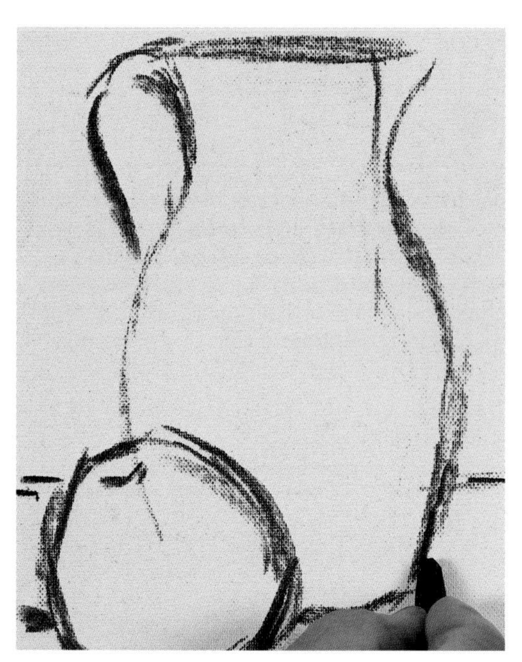

2. *Utilisez de la terre d'ombre brûlée pour peindre le fond. Cette opération vous permettra à la fois de le définir et de délimiter les formes principales de la nature morte. Ébauchez les ombres des deux objets composant la nature morte dans ce même ton. Au fur et à mesure des tracés, la charge en couleur du pinceau s'épuise et vous permet ainsi d'appliquer de nouvelles touches de couleur d'une grande utilité graphique pour la création de tons moyens.*

▲

3. *Pour représenter les reflets, appliquez des tracés ou de petites taches de couleur très ponctuels. Les ombres sont étendues et occupent la plus grande partie du tableau. Au moment de peindre les zones de lumière, tenez compte du fait que le point de luminosité maximale doit être réalisé en dernier lieu. Préparez les couleurs des zones de lumière sur la palette, même si elles doivent ensuite être fondues avec les tons moyens sur la toile. L'emploi de couleurs de la même gamme vous aura permis d'obtenir une atmosphère parfaite.*

▲

OMBRE ET LUMIÈRE AVEC GLACIS

Un glacis est une couche de couleur à l'huile tellement transparente qu'elle peut être superposée à une autre couleur sans la cacher. Jusqu'à maintenant, nous avons vu que les ombres pouvaient être créées en assombrissant ou en dégradant les tons, mais l'un des grands avantages de la couleur à l'huile par rapport à d'autres techniques est sa capacité de transparence, qui permet de réaliser de surprenants effets de lumière.

1. *Comme pour toutes les techniques de couleur à l'huile, avant d'effectuer un apport définitif, il faut respecter la règle gras sur maigre : les premières couleurs appliquées doivent être légèrement diluées dans de l'essence de térébenthine et les couches suivantes doivent être de plus en plus grasses.*

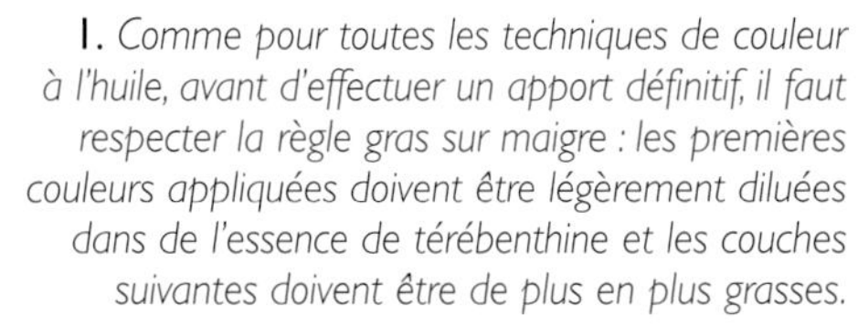

L'un des processus permettant d'obtenir un glacis consiste à mélanger de l'huile de lin, quelques gouttes de vernis hollandais et une petite quantité de couleur sur la palette.

2. *Les glacis peuvent avoir diverses fonctions. Vous pouvez préparer des glacis lumineux et transparents, mais aussi des glacis sombres qui, grâce à un contraste atténué, serviront à modifier la couleur précédente sans la cacher complètement. Vous pouvez appliquer un glacis après avoir peint les premières couleurs, mais la couche précédente doit être parfaitement sèche. Dans le cas contraire, les deux couleurs se mélangeront au lieu de se superposer. Utilisez un bleu de cobalt semi-opaque pour couvrir une partie du fond, puis, à l'aide de cette même couleur, glacez la zone correspondant à l'ombre de la pomme. Ce glacis doit être appliqué en étalant délicatement la couleur dont est imprégné le pinceau pour que la couche obtenue soit uniforme.*

EMPLACEMENT DES TONS GLACÉS SUR LE TABLEAU

L'utilisation du glacis implique une certaine lenteur, car il faut attendre que la base de couleur du tableau soit sèche avant de l'appliquer. Il s'agit néanmoins de l'une des techniques les plus intéressantes concernant le travail des ombres, car elle permet d'obtenir un rendu très subtil. Les glacis n'agissent pas uniquement sur la gradation des tons. Ils peuvent aussi être traités comme des transparences atmosphériques destinées à interpréter la lumière incidente.

▶ **1.** *Rehaussez le contraste des tons des zones d'ombre à l'aide d'un glacis foncé. Si lorsque ce glacis est sec, vous lui en superposez un second, vous obtiendrez une somme de transparences. Même si le glacis ajouté est transparent, la zone concernée ne gagnera pas en luminosité, car seul l'emploi d'un médium opaque ou, bien entendu, d'une couleur éclatante, peut augmenter la luminosité d'une zone déterminée. L'application d'un nouveau glacis vous permettra de générer différentes nuances de ton sur les couleurs présentes sur la toile. Si la couche précédente est foncée, la superposition d'un glacis parfaitement transparent ne modifiera pas la couleur de cette couche. Utilisez un glacis rougeâtre pour retoucher les zones d'ombre situées sur la droite, vous obtiendrez un ton moyen.*

Pour réaliser des glacis, il peut s'avérer intéressant d'utiliser en premier lieu une base de couleur acrylique, car sa rapidité de séchage facilite l'application successive de couches de couleur à l'huile.

▶ **2.** *L'impression de volume peut être obtenue à partir du modelé des différents tons issus de l'application des glacis. Pour définir les points de lumière, posez de petites taches directes de blanc et de jaune verdâtre dans la partie supérieure de la pomme. Lorsque ces zones seront sèches, vous pourrez appliquer un nouveau glacis, d'un bleu très transparent, destiné à corriger l'éclairage. Glacez de nouveau les zones foncées pour assombrir le fond et augmenter sa profondeur. Appliquez également un glacis sur l'ombre projetée de la pomme sur la table afin de nuancer cette zone.*

pas à pas

Nature morte

Nous avons vu, dans ce thème, que les ombres pouvaient être interprétées de différentes façons et que l'utilisation du glacis est l'une des options dont dispose le peintre. L'élaboration de glacis peut s'avérer une tâche ardue, car il faut attendre que les couleurs soient sèches avant d'appliquer ces couches transparentes. Le glacis permet néanmoins d'exploiter les nombreuses possibilités de la couleur à l'huile concernant les nuances de ton et la transparence. Pour mettre en pratique les thèmes que nous avons traités, nous vous proposons de représenter une nature morte qui requiert l'emploi de glacis. La composition du modèle que nous avons choisi est très simple.

MATÉRIEL NÉCESSAIRE

Couleurs à l'huile (1), palette (2), essence de térébenthine (3), huile de lin (4), vernis hollandais (5), pinceaux (6), chiffon (7), carton entoilé (8) et récipient pour la préparation des glacis (9).

1. *Il convient tout d'abord de peindre la couleur sombre qui couvre le fond et délimite les formes les plus lumineuses de la nature morte. Mélangez du brun légèrement coloré de noir, du rouge anglais et du bleu de cobalt pour obtenir cette couleur sombre. Elle doit être maigre, mais pas trop liquide. Laissez les zones claires de la nappe en réserve. Utilisez un bleu clair et un violet très transparent pour peindre les zones sombres et réaliser ainsi le premier glacis. Appliquez tout d'abord un bleu céruléen presque transparent, puis, lorsque celui-ci est sec, couvrez-le d'un glacis violet. Peignez la zone d'ombre de la poire dans un ton vert.*

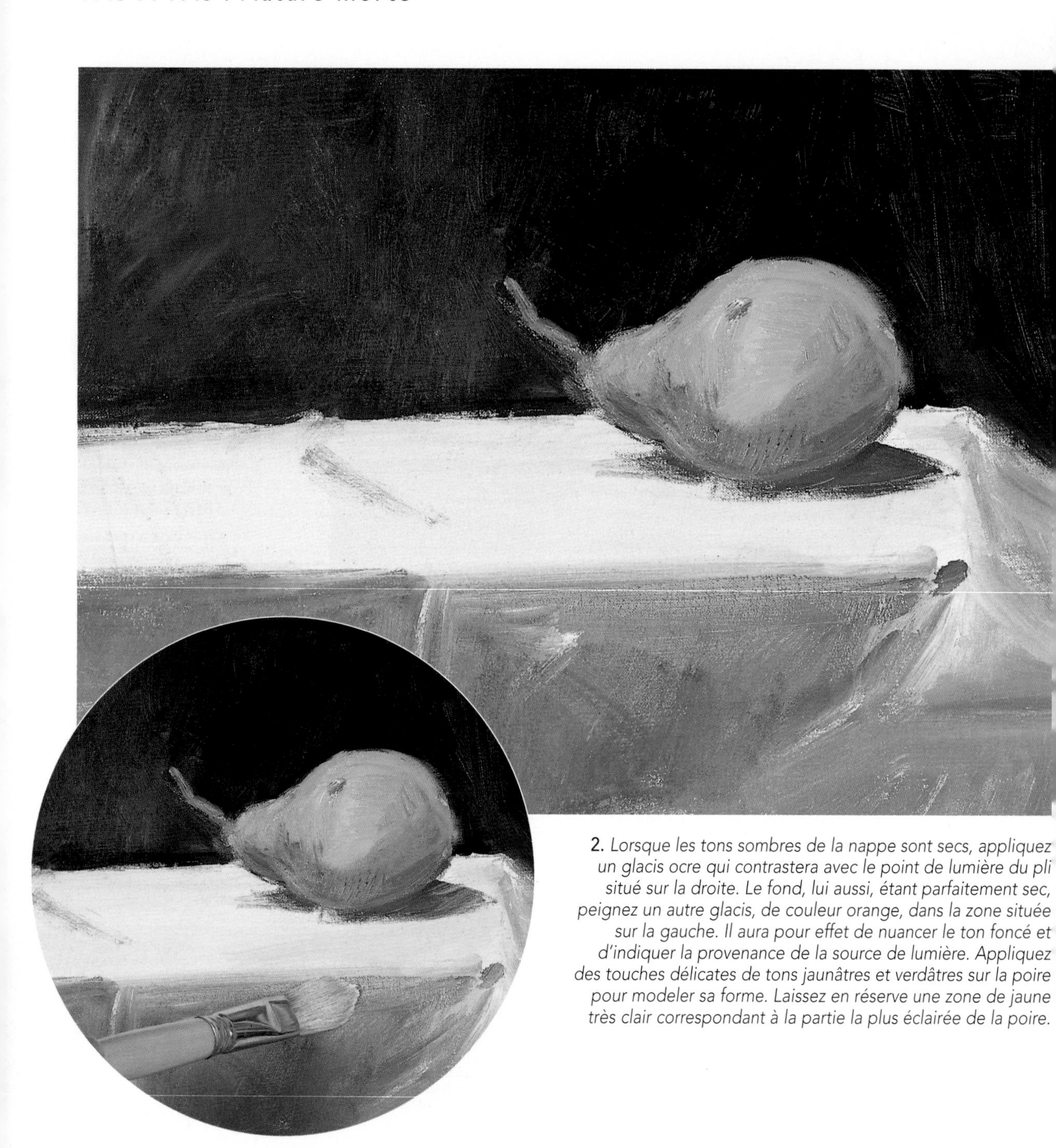

2. *Lorsque les tons sombres de la nappe sont secs, appliquez un glacis ocre qui contrastera avec le point de lumière du pli situé sur la droite. Le fond, lui aussi, étant parfaitement sec, peignez un autre glacis, de couleur orange, dans la zone située sur la gauche. Il aura pour effet de nuancer le ton foncé et d'indiquer la provenance de la source de lumière. Appliquez des touches délicates de tons jaunâtres et verdâtres sur la poire pour modeler sa forme. Laissez en réserve une zone de jaune très clair correspondant à la partie la plus éclairée de la poire.*

3. *Utilisez une couleur plus opaque pour couvrir toute la zone située à droite du pli principal. Déplacez une partie du vert de la poire vers la zone éclairée en tenant compte du fait que les coups de pinceau destinés à fondre les couleurs doivent être délicats. Le principal travail de glacis concerne la nappe et consiste à modifier toutes les couleurs appliquées précédemment sur cette zone à l'aide d'un glacis bleu très lumineux.*

4. *Attendez une journée entière avant de recommencer à travailler sur le tableau. Appliquez alors des touches allongées et horizontales de couleur blanche, jaune et ocre sur toute la partie éclairée de la nappe. Vous pouvez ensuite appliquer un nouveau glacis de couleur rougeâtre sur le fond pour modifier le ton de celui-ci, qui est presque noir, et doter l'ensemble d'un éclairage chaleureux.*

Vu l'extrême lenteur du processus d'application des glacis sur les ombres, le peintre peut travailler sur un autre tableau, en parallèle. L'attente ne lui semblera pas aussi longue et il pourra améliorer sa compréhension des ombres.

5. *Après avoir de nouveau laissé sécher l'ensemble des couleurs, vous pouvez recommencer à travailler sur le fond sec, sans dommage pour les couches précédentes. Concentrez-vous sur les tons foncés des ombres de la poire : appliquez un glacis bleu sur la droite et un glacis rouge de cadmium sur la gauche, en évitant que les couleurs ne se mélangent. Modifiez ensuite les détails des couleurs de la zone foncée de la nappe à l'aide de nouveaux glacis, combinés avec des touches de couleur opaques et plus lumineuses. Passez ensuite à la partie horizontale de la nappe : utilisez un blanc brillant pour la zone de droite et un blanc légèrement mélangé avec du jaune de Naples pour la zone de gauche.*

6. Peignez les points de luminosité maximale des plis de la nappe situés sur le côté gauche à l'aide de couleurs lumineuses, presque blanches. Ce dernier apport met un point final à ce travail concernant les glacis.

Comme vous pouvez le constater, cet exercice ne demande pas un grand effort technique, mais requiert de la patience, ce qui peut être stimulant pour l'apprentissage de la peinture à l'huile.

SCHÉMA-RÉSUMÉ

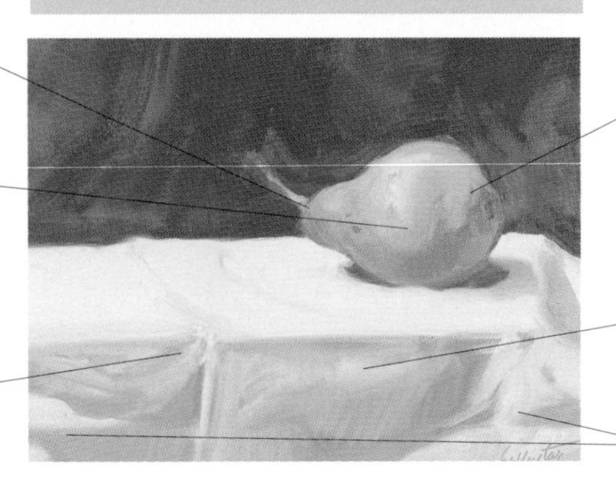

Les premières couleurs sont foncées et délimitent la forme du fruit et celle de la table.

Il convient de s'assurer que **les couleurs sont parfaitement sèches** avant d'appliquer les glacis.

Les premières couches de couleur doivent être légèrement diluées dans de l'essence de térébenthine. De toute façon, aucune des couches appliquées dans le cadre de cet exercice ne doit être épaisse, car cela ralentirait le séchage.

Le glacis qui permet d'assombrir les ombres de la poire comporte deux tons : bleu et rouge. Le modelé doit impérativement être réalisé progressivement et de façon délicate.

Grâce à leur transparence, les différents glacis appliqués **sur la nappe** viennent s'ajouter les uns aux autres.

Les reflets les plus marqués doivent être opaques et ne doivent intervenir que lorsque le tableau est pratiquement achevé.

THÈME 13

Modelé à la couleur à l'huile

MODELÉ DE NATURE MORTE

Le dégradé des tons est à la base du modelé. Cette question ayant déjà été abordée dans les différents thèmes de cet ouvrage, vous avez eu l'occasion d'acquérir quelques connaissances relatives à la gradation des tons, à l'étude de l'ombre et de la lumière, et à la fusion des tons. Nous allons ici approfondir ces concepts en abordant les principaux thèmes concernés par le modelé des formes, c'est-à-dire la nature morte et la figure.

Il convient tout d'abord de réviser les concepts liés à la gradation des tons. Vous aurez ainsi plus de facilité à concentrer votre attention sur ce thème. Nous vous proposons de représenter une nature morte qui vous permettra de travailler en premier lieu sur la gradation des tons, puis sur le modelé ultérieur des formes. L'étude de la lumière et le geste grâce auquel vous appliquerez les touches de couleur qui représenteront les ombres sont deux aspects importants de cette nature morte. Cet exercice est un prélude au modelé de la figure, que nous traiterons dans le point suivant.

▶ 1. *De nombreux peintres amateurs n'accordent pas au dessin préalable l'attention nécessaire et aboutissent ainsi à un échec avant même d'avoir commencé à peindre. Le dessin est l'une des phases les plus importantes en matière de peinture. Lorsqu'un dessin est bien construit, la définition des ombres devient presque intuitive. En revanche, s'il ne l'est pas, le traitement des ombres sera inévitablement erroné.*

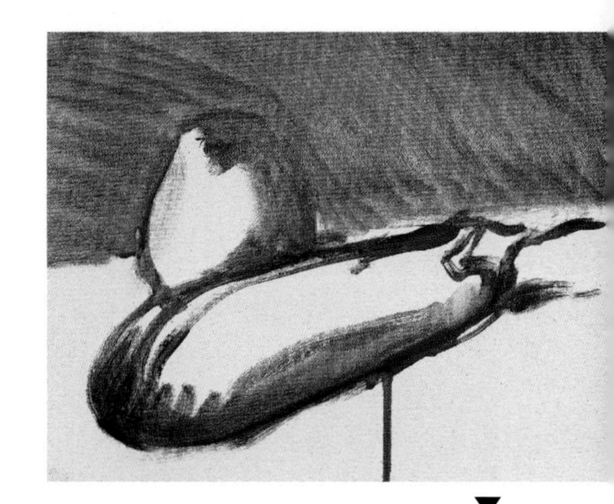

▼ 2. *Utilisez une couleur maigre pour dessiner la nature morte. Le fait d'employer une couleur maigre présente certains avantages : cela permet de situer les ombres du tableau dès le début et de ne rencontrer aucune difficulté en ce qui concerne les retouches. Il suffit de passer le doigt ou un chiffon sur une zone peinte pour y ouvrir un clair ou corriger un tracé erroné.*

◀ . *Vous pouvez maintenant appliquer les premiers contrastes entre les zones ›aires et les zones foncées. ›r l'instant, aucun ton n'est définitif. Peignez ›ogressivement les ombres tout en essayant de déterminer la forme des zones de lumière. ›s premiers tons lumineux s'opposent aux ombres et provoquent l'apparition de ›trastes simultanés, lorsque ›us appliquez un ton foncé ›rès d'un ton clair, les deux ›ns s'en trouvent renforcés. Il faut donc compenser ›nstamment les contrastes.*

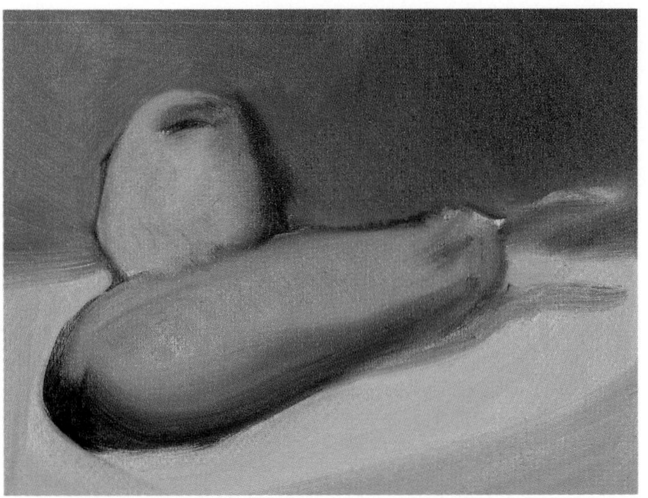

▶ 1. *Passez le pinceau à plusieurs reprises sur les tons foncés et sur les tons plus clairs pour qu'ils fusionnent. Vous devez choisir votre pinceau en fonction de l'utilisation que vous allez en faire. S'il est vrai que vous pouvez employer n'importe quel pinceau pour appliquer des taches de couleur, il est important de bien choisir celui que vous allez utiliser pour réaliser les travaux de fusion. Il est plus que conseillé, c'est-à-dire pratiquement nécessaire, d'employer un pinceau à soies douces pour ce type d'intervention. En ce qui concerne les fondus entre les tons, nous vous recommandons d'utiliser une brosse en soies synthétiques. Quelques passages de brosse vous permettront de réaliser une fusion parfaite.*

EMPLOI DU PINCEAU ET DE LA COULEUR

Les tons que vous avez appliqués lors de la phase précédente doivent constituer une référence claire en ce qui concerne la répartition de la lumière. C'est à partir de ces tons, et plus précisément de leur fusion et de leur modelé, que vous pourrez réaliser la gradation des ombres. Le mouvement du pinceau est un aspect important de cette phase de travail, car la forme des ombres ne se développe pas uniquement à partir du dégradé des tons, elle dépend également de la façon dont la touche épouse le plan de l'objet.

▶ 2. *Pour réaliser une fusion de tons, il convient d'étudier le plan sur lequel l'ombre va être peinte. Étant donné que les éléments qui composent la nature morte de cet exercice possèdent des surfaces arrondies et sphériques, le pinceau doit suivre la forme de chaque plan et répartir le ton foncé autour de la zone de lumière. Utilisez cette technique pour augmenter la présence des tons foncés ; leur contraste par rapport aux tons clairs deviendra de plus en plus évident.*

Le modelé est directement issu de la gradation et évolue de celle-ci à la fusion complète des couleurs ou des tons dans le cadre de l'étude de la lumière.

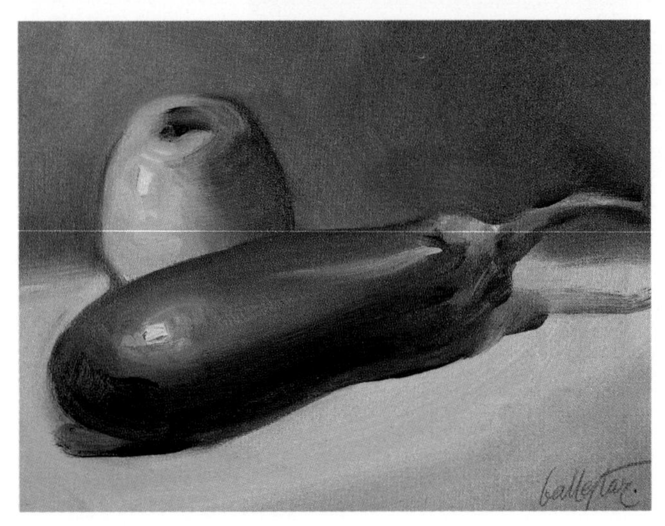

▶ 3. *Vous ne pourrez représenter les reflets ponctuels qu'après avoir terminé le modelé. Les reflets fournissent des renseignements sur la direction de la lumière et sa qualité, ainsi que sur la texture de l'objet représenté.*

MODELÉ DE FIGURE

Nous vous avons tout d'abord proposé un thème simple de nature morte afin d'établir un parallèle en ce qui concerne la résolution des formes. En effet, si complexes soient-elles, elles peuvent toujours être réduites à un ensemble de formes plus simples. C'est le cas de la forme arrondie de l'épaule que nous vous suggérons de représenter ici et qui peut être comparée à celle de la pomme de l'exercice précédent. Après avoir étudié la façon dont peut être réalisé le modelé monochrome d'une nature morte, vous pouvez vous consacrer à la gradation ou au modelé de figure en vous basant sur les mêmes concepts. Pour simplifier ce problème, nous vous proposons de travailler sur un détail du corps humain. Afin de comprendre comment la lumière et les ombres épousent les formes.

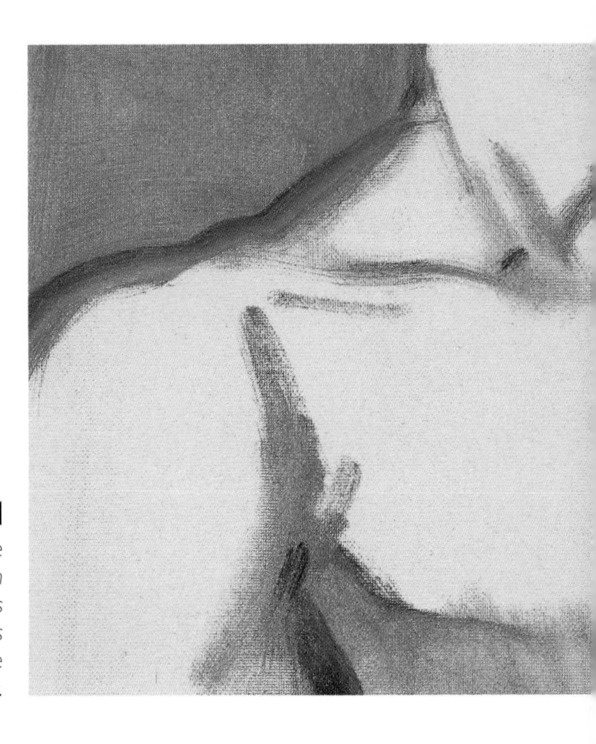

1. *Dessinez le schéma de l'épaule. Utilisez pour ce faire un ton terre de Sienne, que vous emploierez également pour peindre le fond. Votre dessin s'intégrera ainsi dans le contexte du tableau. Ébauchez les premiers tons foncés de l'épaule à l'aide d'un pinceau imprégné de peinture maigre, mais assez sec. Grâce à ce procédé, l'ébauche des ombres sera bien plus simple à réaliser et les phases d'élaboration ultérieures seront beaucoup plus sûres.*

2. *Appliquez un ocre orangé très maigre dans toute la zone située à l'intérieur du schéma initial. Observez attentivement l'illustration ci-dessous : vous constaterez que, dès ce stade, les coups de pinceau permettent de différencier les plans arrondis en fonction de l'incidence de la lumière. Pour l'instant, la couleur est très plane, même s'il existe une certaine différence entre les plans. Appliquez un ton rougeâtre sur la clavicule et entre la poitrine et le bras pour accentuer la différence entre les zones de lumière. Peignez ensuite le fond en bleu pour augmenter l'effet de contraste entre celui-ci et la figure.*

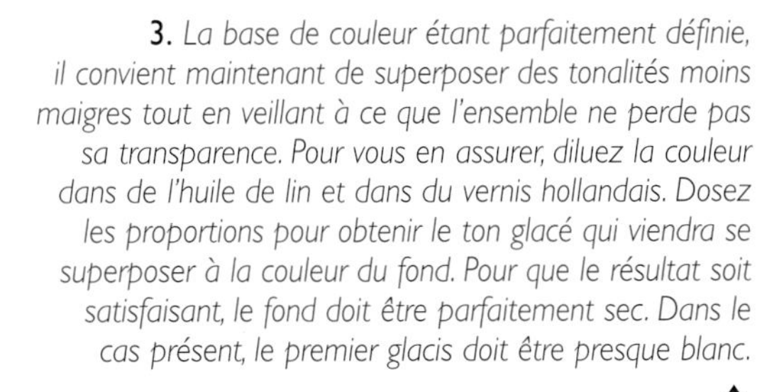

3. *La base de couleur étant parfaitement définie, il convient maintenant de superposer des tonalités moins maigres tout en veillant à ce que l'ensemble ne perde pas sa transparence. Pour vous en assurer, diluez la couleur dans de l'huile de lin et dans du vernis hollandais. Dosez les proportions pour obtenir le ton glacé qui viendra se superposer à la couleur du fond. Pour que le résultat soit satisfaisant, le fond doit être parfaitement sec. Dans le cas présent, le premier glacis doit être presque blanc.*

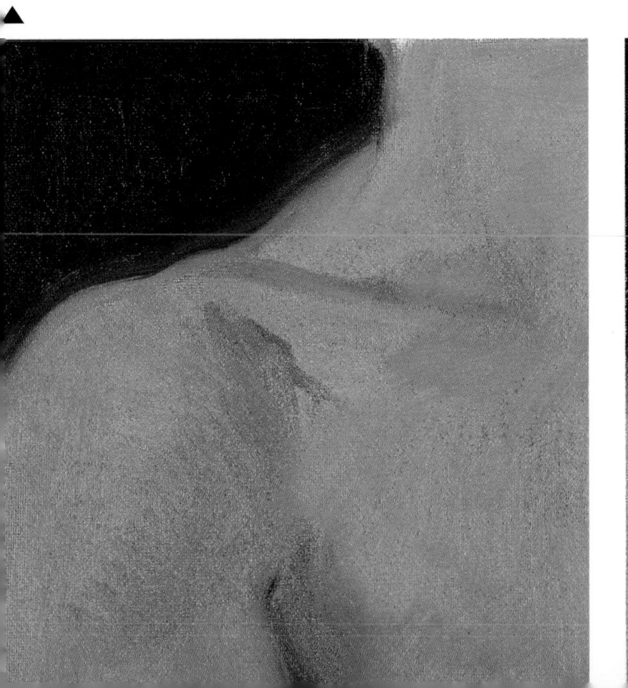

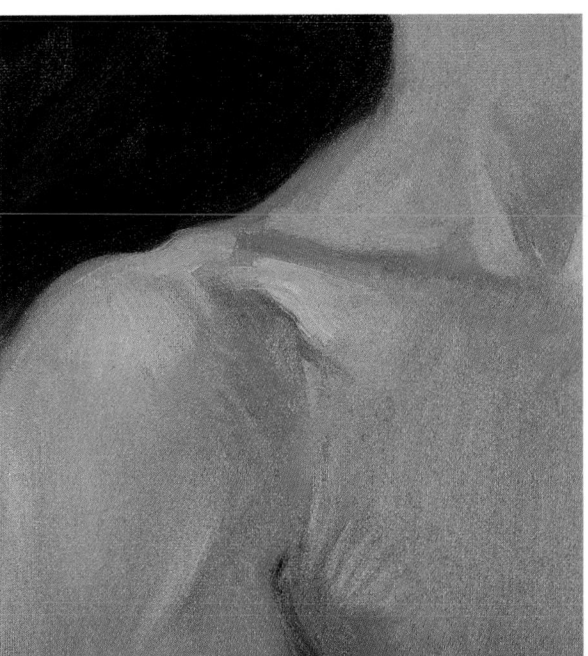

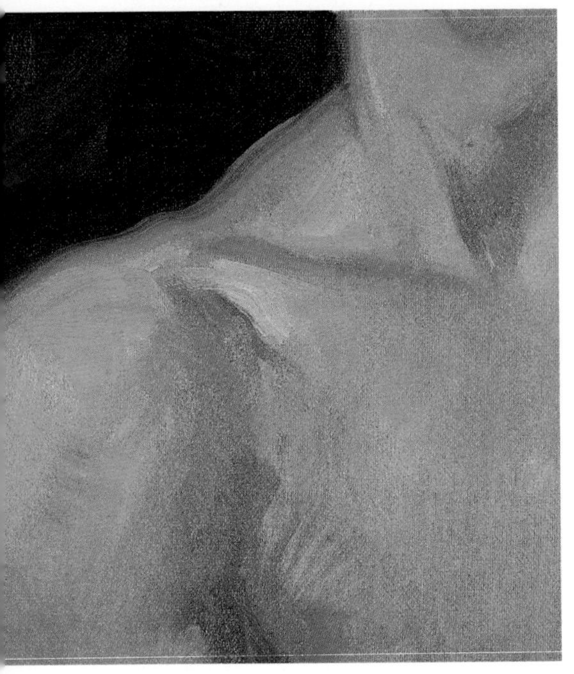

LA COULEUR DE LA LUMIÈRE

Les couleurs chair susceptibles d'être employées pendant le modelé des formes du corps humain ne se limitent pas à une palette inamovible. Elles dépendent uniquement de la couleur de la lumière qui enveloppe la figure. Il est important de modeler la forme du corps à partir de tons et de couleurs qui se reflètent sur la peau. Lorsque vous aurez à réaliser un modelé de figure, il vous faudra toujours tenir compte du fait que les reflets, les couleurs et les ombres dépendent uniquement de la source de lumière qui les éclaire.

▶ 1. *La première intervention relative à la couleur de la lumière doit concerner les tons des ombres, et plus précisément ceux qui se reflètent sur la peau. Peignez les ombres les plus profondes, c'est-à-dire celles qui sont situées entre la poitrine et le bras, dans une tonalité très foncée de terre d'ombre brûlée mélangée à une petite quantité de rouge. Appliquez ensuite des couleurs glacées, à base de terre de Sienne et d'un petit peu de rouge, sur les zones correspondant aux ombres moyennes. Fusionnez certaines parties et laissez les autres en l'état. Dans ces dernières, le tracé sera parfaitement visible. Fondez le reflet du cou jusqu'à ce que le tracé disparaisse.*

2. *Le modelé de la figure s'effectue à partir de la fusion des tons clairs et foncés. Augmentez les contrastes du cou et du bras. Vos coups de pinceau doivent être de plus en plus délicats. Façonnez la musculature de l'épaule en vous basant sur la recherche du volume. Comparez cette phase d'élaboration et l'exercice précédent : vous constaterez l'existence de similitudes entre les processus d'obtention du volume de la pomme et de celui de l'épaule.*

▲

Les formes réalisées à l'aide de la technique du modelé requièrent des coups de pinceau délicats. Une brosse en soies synthétiques est un outil adéquat pour ce type d'interventions.

3. *Pour mettre fin à l'élaboration du modelé, appliquez les derniers contrastes à l'aide de glacis de plus en plus sombres. Peignez également les reflets les plus intenses de la peau et fondez-les délicatement au pinceau*

▲

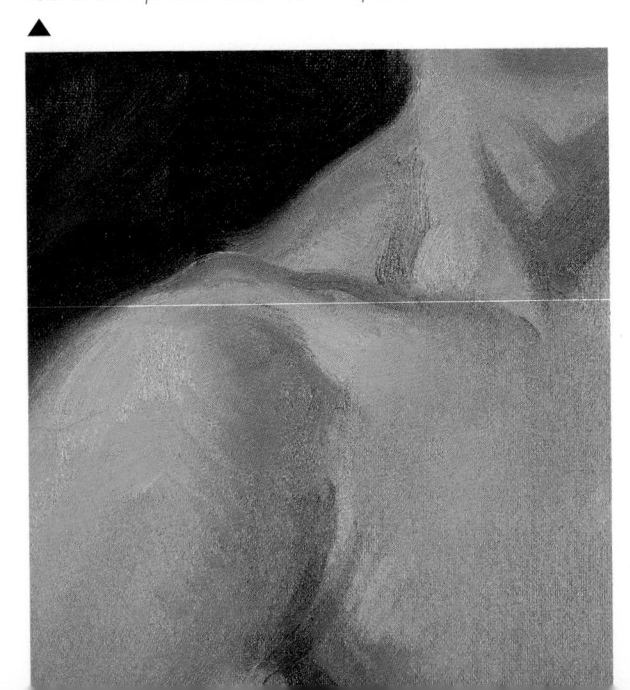

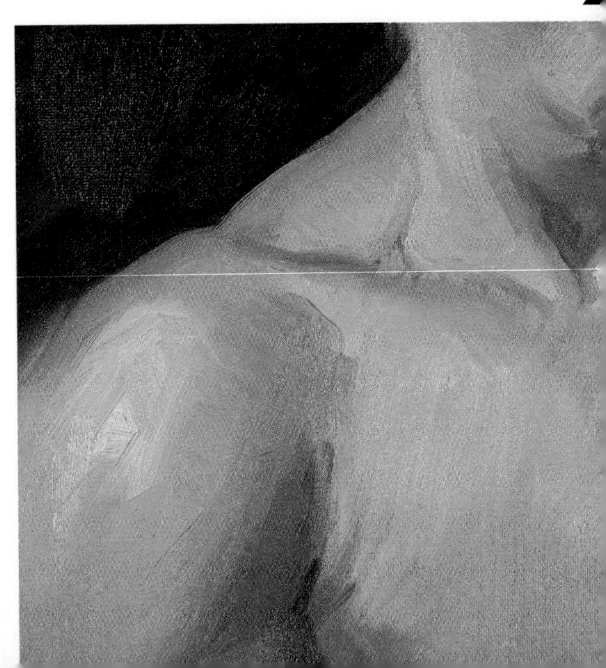

pas à pas

Nu féminin

Le modelé est l'un des procédés classiques les plus caractéristiques du travail à la couleur à l'huile. La technique du glacis permet de réaliser non seulement des modelés, mais aussi des couches transparentes susceptibles d'altérer les couleurs des couches précédentes. Afin de poursuivre dans la même ligne que les exercices réalisés jusqu'à présent, nous vous proposons de représenter un nu féminin qui vous permettra de vous exercer au modelé des formes à partir de la fusion des tons et de l'application de glacis. Pour accroître l'intérêt de cet exercice, nous avons accordé autant d'importance aux ombres qu'à l'éclairage du modèle.

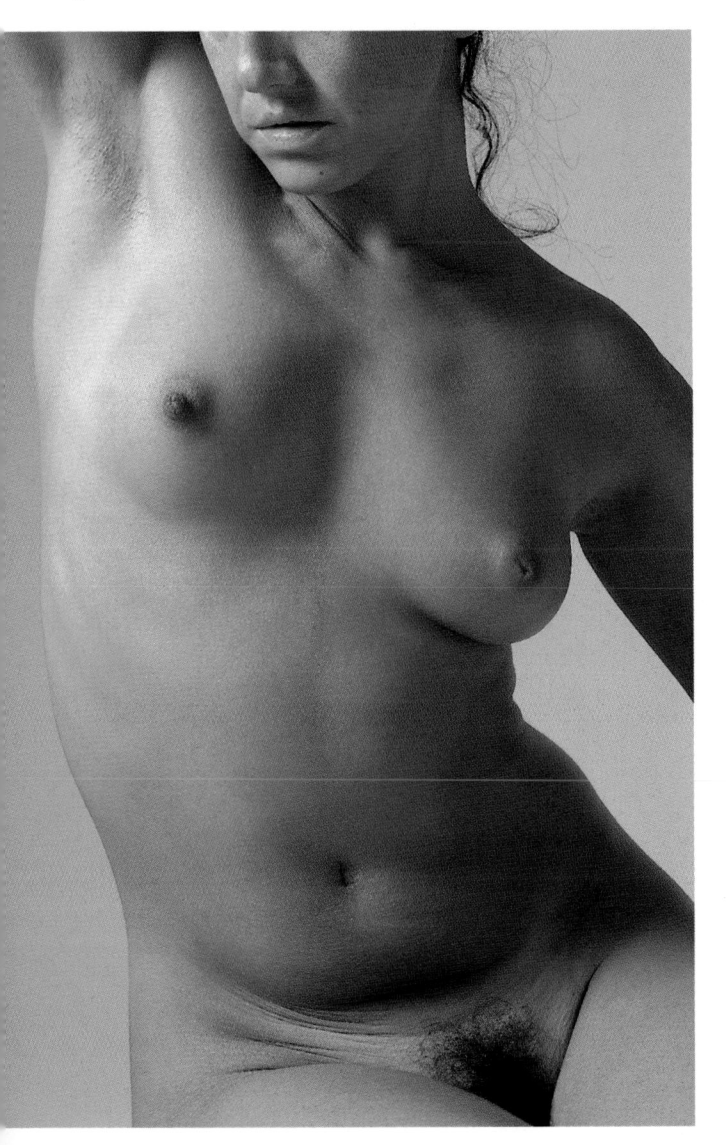

MATÉRIEL NÉCESSAIRE

Couleurs à l'huile (1), pinceaux (2), pinceau extra doux pour les glacis (3), carton entoilé (4), essence de térébenthine (5), huile de lin (6), médiums pour glacis (7) et chiffon (8).

1. *Schématisez les formes à l'aide d'un tracé fin réalisé au pinceau, puis retouchez chacune des parties du corps jusqu'à ce que vous obteniez les proportions appropriées. La figure étant parfaitement ébauchée, appliquez les principaux tons. Utilisez pour ce faire deux couleurs que vous aurez rabattues en y ajoutant du blanc.*

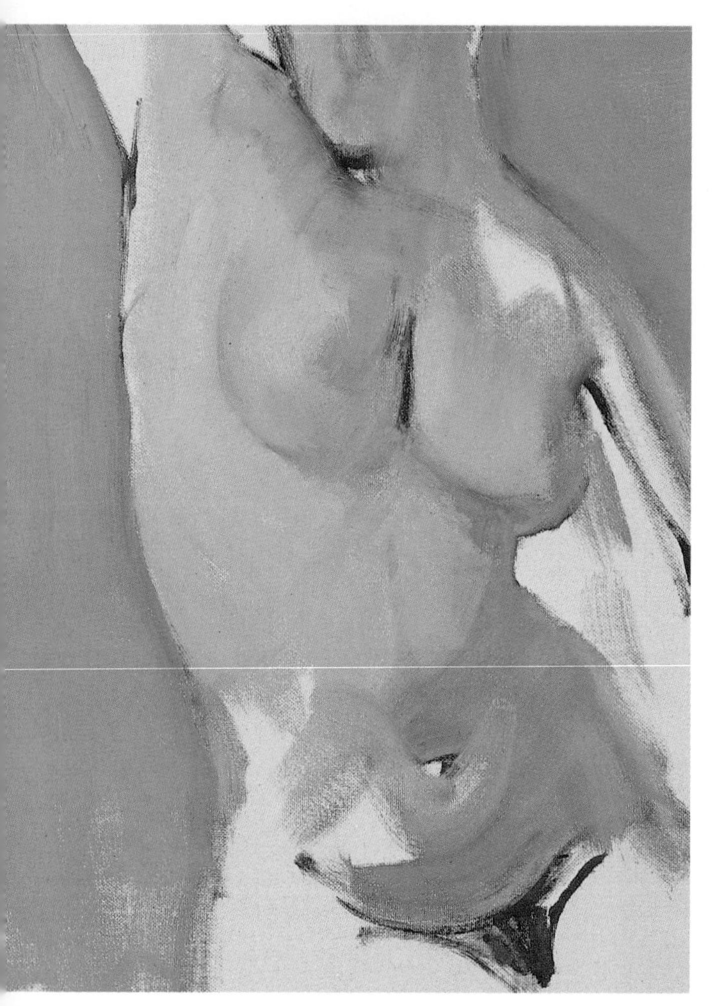

2. *Après avoir défini la figure et avoir pu ébaucher ses principales zones de lumière à l'aide de couleurs chair, peignez le fond pour délimiter la forme du corps. Tout en isolant celle-ci du fond, effectuez la gradation des différentes zones de lumière en tenant compte de l'éclairage de l'ensemble. Appliquez les touches de couleur les plus lumineuses, dans le sens du plan à peindre, mais pour l'instant sans fondre les tons. Le modelé et la fusion de la couleur doivent respecter la direction de ces tracés.*

Les premières couches de couleur à l'huile doivent toujours être diluées dans de l'essence de térébenthine pour que celles qui seront appliquées au cours de la gradation et du modelé disposent d'une base maigre sur laquelle elles pourront être fondues. Il est important de respecter cette règle, car elle permet de peindre les glacis au dernier moment.

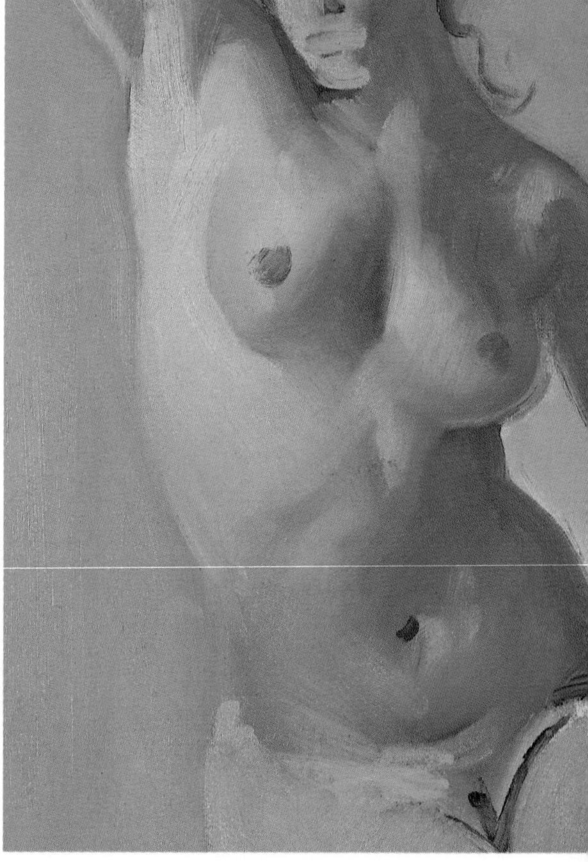

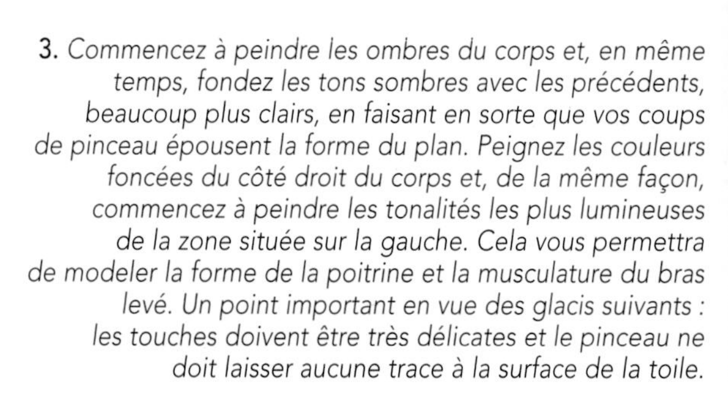

3. *Commencez à peindre les ombres du corps et, en même temps, fondez les tons sombres avec les précédents, beaucoup plus clairs, en faisant en sorte que vos coups de pinceau épousent la forme du plan. Peignez les couleurs foncées du côté droit du corps et, de la même façon, commencez à peindre les tonalités les plus lumineuses de la zone située sur la gauche. Cela vous permettra de modeler la forme de la poitrine et la musculature du bras levé. Un point important en vue des glacis suivants : les touches doivent être très délicates et le pinceau ne doit laisser aucune trace à la surface de la toile.*

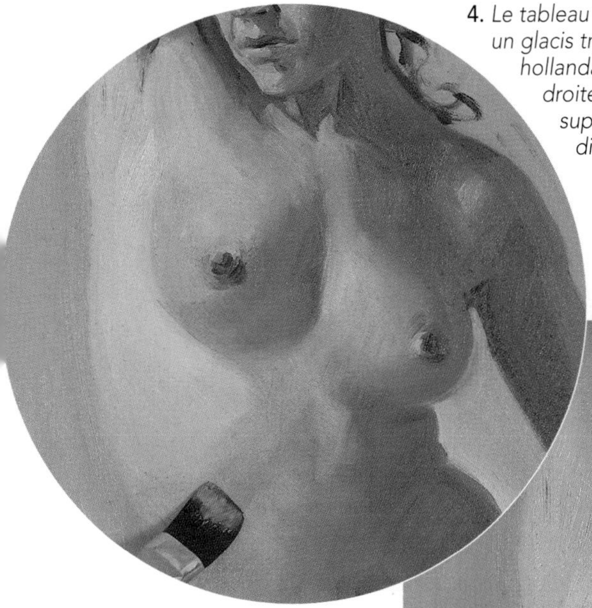

4. *Le tableau étant parfaitement sec, appliquez un glacis très transparent à base de vernis hollandais et de jaune moyen sur la zone droite du bras levé, et modelez la partie supérieure de la poitrine à l'aide de différents tons préparés sur la palette.*

Un foyer de couleur jaunâtre peut aider l'artiste à définir les couleurs de la palette à partir d'une gamme chromatique déterminée. Le choix de la couleur de la lumière est important pour réaliser un modelé de figure satisfaisant.

5. *Les glacis se fondent sur les couleurs non glacées. Il faut attendre le séchage complet du premier glacis avant d'appliquer le suivant sur la partie la plus sombre du tableau. Préparez un glacis de couleur terre de Sienne et appliquez-le sur les ombres des hanches, sous la poitrine et sur le bras. Peignez un nouveau glacis orangé dans la zone située autour du ventre et modifiez la lumière de cette partie du corps.*

6. *Contrastez les zones d'ombre les plus foncées à l'aide d'une couleur très sombre. La couleur précédente devient transparente. Complétez le modelé du corps humain en rehaussant les ombres du sein droit, du ventre et du pubis. Vous mettrez ainsi un point final à cet exercice de gradation et de modelé.*

SCHÉMA-RÉSUMÉ

Le schéma initial s'effectue directement au pinceau. Il est important d'utiliser une couleur maigre afin de pouvoir, le cas échéant, effectuer les corrections qui s'imposent.

Les premières couches de couleur permettent de séparer les zones d'ombre et de lumière.

La poitrine se peint à l'aide d'un glacis jaune orangé.

Une couleur foncée permet de délimiter la forme de la figure.

Les ombres se résolvent à l'aide de glacis couleur terre de Sienne et carmin qui permettent de réaliser la gradation et le modelé des tons.

Le ton foncé de la hanche définit la forme de cette partie du corps.

THÈME

14 Fleurs

PETITES TACHES DE COULEUR ET GLACIS

Une application très directe de la couleur peut être combinée à une superposition de tons qui modifient la couleur d'origine. Dans le thème concernant les glacis, nous avons vu qu'une couche transparente affecte bien plus les couleurs claires que les couleurs foncées. Nous vous proposons ici un exercice simple d'application de glacis.

Les fleurs pourraient être considérées comme un thème indépendant à l'intérieur de l'ensemble composé par les natures mortes. Leur élaboration requiert l'utilisation de techniques particulières qui, en principe, ne s'emploient pas pour la résolution d'autres éléments propres à la nature morte, tels que les poteries ou les fruits. Lorsque vous maîtriserez les techniques expliquées dans ces pages, ce thème se convertira en l'un des plus simples à résoudre car, la plupart du temps, les fleurs ne font pas l'objet d'un zèle figuratif excessif, mais sont peintes à l'aide de touches très libres et directes. Nous vous donnons ici quelques exemples intéressants.

1. Cet exemple consiste à représenter une fleur blanche, très facile à schématiser. Il n'est pas nécessaire d'utiliser un grand nombre de couleurs. Il vous suffira d'appliquer de petites taches directes, parfaitement définies dans toutes les zones de la fleur. Utilisez des couleurs lumineuses. Il n'est pas important que la fleur soit intégrée au fond. ▲

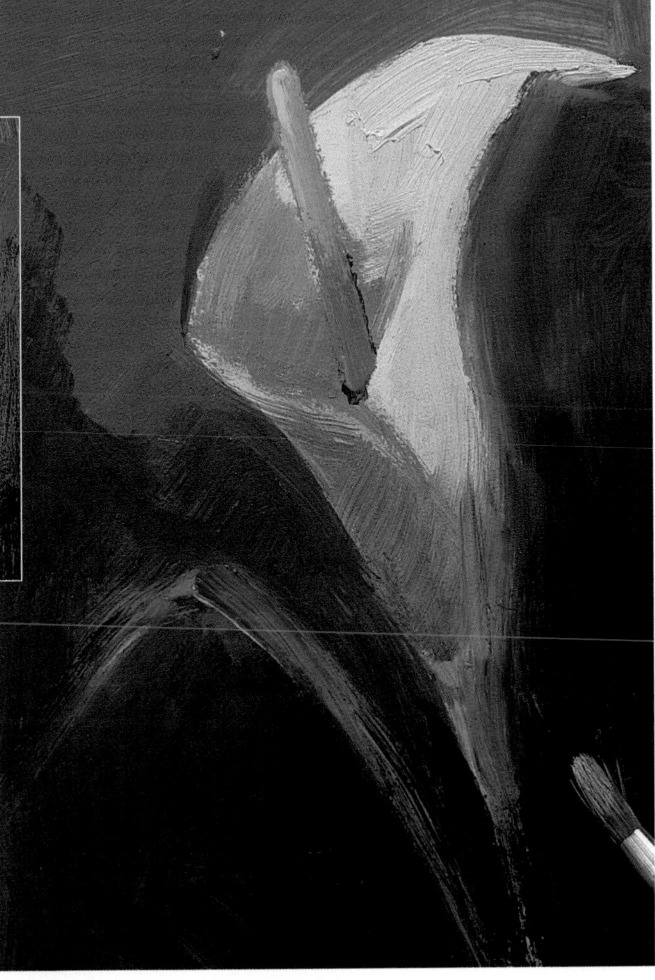

◀

2. Il convient d'attendre que le tableau soit parfaitement sec avant d'appliquer le glacis transparent qui le dotera d'une atmosphère et d'une ambiance. La technique du glacis peut être utilisée pour tous les thèmes floraux. Comme nous l'avons déjà indiqué, la base de couleur doit être parfaitement sèche et il vous faudra parfois attendre plusieurs jours avant de peindre le glacis définitif. Appliquez un glacis très lumineux de couleur ocre sur la zone droite de la fleur. Préparez ensuite un glacis bleu très transparent pour peindre une partie de la fleur (la zone la plus sombre) et du fond : les couches transparentes agissent différemment sur les couleurs claires et sur les couleurs foncées.

DE LA TACHE DE COULEUR AUX REFLETS

Dans l'exercice précédent, vous avez appliqué des glacis sur de couleurs brillantes et claires afin de modifier la luminosité de l fleur. Il s'agit de l'une des multiples options susceptibles d'être mises e œuvre pour la réalisation de thèmes floraux. L'empâtement des couleurs est l'un des autres procédés les plus couramment utilisés pou représenter ce type de sujet. Les natures mortes comportant des fleur peuvent être résolues à l'aide de petites taches très directes. En général, les fleurs ne sont pas les seuls éléments du tableau ; elles sont souvent dans un vase ou, comme ici, dans un verre rempli d'eau. Le ca échéant, il est important d'apprendre à représenter le reflet du récipient de façon appropriée, sans salir les couleurs.

▶ 1. *Après avoir schématisé l'ensemble, il convient de s'attacher aux tons qui permettront de construire le tableau. Préparez la couleur sur votre palette et mélangez-la avec des nuances d'autres couleurs. Cette nature morte doit essentiellement être exécutée à l'aide de petites touches verticales. Appliquez de nombreuses touches présentant diverses tonalités violacées sur le fond. Laissez en réserve les zones les plus lumineuses, qui correspondent aux reflets du verre et à la fleur de droite.*

2. *Pendant la phase précédente, vous avez laissé les reflets en réserve pour éviter que les couleurs lumineuses ne se mélangent avec les couleurs foncées. Lorsque vous appliquez une touche de couleur blanche directement sur la toile vierge, vous ne courez pas le risque d'entraîner la couche précédente ; cette touche présentera donc toute la luminosité de la couleur d'origine et ne sera pas tachée. Dans le cas présent, utilisez un blanc pur pour peindre le reflet éclatant de la partie éclairée du verre.* ▲

3. *Les forts contrastes et les reflets les plus lumineux permettent d'établir définitivement la forme des différentes parties des fleurs et du verre. Les reflets ne doivent pas tous posséder l même intensité. Peignez ceux qui se trouvent su le bord du verre, à l'aide d'une touche directe que vous appliquerez sur la couleur foncée.* ▲

LE FOND D'UNE NATURE MORTE COMPOSÉE DE FLEURS

Le mode d'application des touches de couleur à l'origine de l'élaboration du tableau permet de définir les divers plans de celui-ci. Dans les différents thèmes de cet ouvrage, nous avons beaucoup insisté sur la pose des taches de couleur sur la toile. Cette technique permet de créer le plan principal sur lequel la fleur acquiert l'importance qui lui est due, mais aussi le fond, qui joue un rôle décisif dans la luminosité de l'ensemble.

Ces exemples démontrent clairement que la luminosité du fond détermine le contraste de l'élément principal. Selon la couleur du fond, la fleur contraste fortement avec celui-ci ou, au contraire, lui est totalement intégrée.

1. *Les points de lumière ont une grande influence sur les tons foncés, surtout dans les zones à fort contraste. Il convient donc de les appliquer avec beaucoup de mesure. La relation entre l'élément principal et le fond a une grande importance, notamment lorsqu'il s'agit d'un thème comme celui-ci, c'est-à-dire d'un thème où les couleurs appliquées sont, en règle générale, très contrastées les unes par rapport aux autres. Il faut choisir les couleurs qui vont correspondre à chaque plan dès la pose des taches initiales. Toute correction est facile à réaliser pendant cette phase de travail.*

▲

2. *Il n'est pas nécessaire de peindre le plans sombres avec autant de précision que les zones les plus lumineuses. Ces dernières sont également plus contrastées et plus détaillées que les zones foncées. La relation entre les tons du fond et ceux de la fleur est parfaitement compensée par les tons les plus foncés de celle-ci.*

▲

UNE TECHNIQUE TRÈS PRATIQUE

▶ **1.** *Le modèle doit être schématisé au crayon à papier, puis dessiné à la couleur acrylique. Comme vous pouvez le constater sur l'illustration ci-contre, le tracé est très similaire à celui susceptible d'être obtenu à la couleur à l'huile. Mélangée à de l'eau, la couleur acrylique devient liquide. Cela permet d'obtenir différents types de tracés et de taches.*

Nous vous proposons de représenter une fleur à l'aide d deux techniques picturales qui, associées, forment ce qu l'on appelle une technique mixte. Celle que vous allez utiliser ic consiste à combiner l'emploi de couleur acrylique et de couleur l'huile. Vous devrez utiliser en premier lieu la couleur acrylique : ell est soluble dans l'eau et sèche très rapidement. Pour éviter qu'ell ne sèche sur votre pinceau, il vous suffira de plonger celui-ci dan un verre d'eau. Lorsque vous aurez terminé les applications d couleur acrylique, vous pourrez poursuivre votre travail et acheve le tableau à la couleur à l'huile. Ce procédé présente plusieur avantages : le travail peut être exécuté rapidement et les pinceaux sont faciles à nettoyer.

▼ **2.** *La couleur acrylique constitue une bonne base pour les couleurs à l'huile, que vous pourrez appliquer lorsque la toile sera sèche. Peignez tout d'abord le fond à l'aide de terre d'ombre très aqueuse et transparente ; elle sera sèche en quelques minutes et vous pourrez poursuivre l'élaboration des fleurs à l'aide d'un magenta très lumineux. Pour terminer cette première phase, peignez les tons verts des feuilles. Les applications de couleur acrylique étant terminées, lavez soigneusement votre pinceau à l'eau et au savon pour éliminer toute trace de peinture.*

▶ **3.** *Le fond étant totalement couvert de couleurs acryliques, vous pouvez poursuivre votre travail à la couleur à l'huile, comme vous l'auriez fait si la base avait été peinte à la couleur à l'huile, à une différence près : le fond sera parfaitement sec en très peu de temps. Le résultat final sera identique à celui que vous auriez obtenu sur une base de couleurs à l'huile, mais sans l'attente qu'aurait impliquée son séchage.*

pas à pas

Fleurs et petites taches de couleur

Bien souvent, le peintre amateur se retrouve face à un dilemme concernant le modèle qu'il va représenter. Le choix de celui-ci ne doit pas être considéré comme un problème, car la nature morte est l'un des thèmes les plus passionnants à exécuter à la couleur à l'huile, quel que soit le modèle. La représentation d'un simple petit bouquet de fleurs peut apporter autant de satisfaction au peintre que celle du plus bariolé des modèles. Nous vous proposons ici un exercice très intéressant relatif à ce thème subtil. Il vous permettra d'exploiter toute une série d'options de couleur et de textures que vous ne pourriez trouver dans aucun autre exercice à la couleur à l'huile.

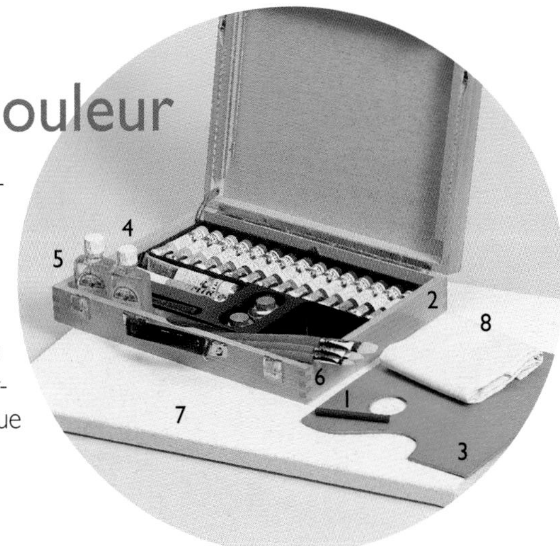

MATÉRIEL NÉCESSAIRE

Fusain (1), couleurs à l'huile (2), palette (3), huile de lin (4), essence de térébenthine (5), pinceaux (6), carton entoilé (7) et chiffon (8).

1. *Le vase de fleurs ne doit pas être parfaitement centré par rapport à l'ensemble du tableau ; la composition sera plus intéressante s'il est légèrement décalé vers la droite. Schématisez les fleurs, mais en faisant abstraction de tout détail. Définissez uniquement les formes principales de façon très simple. Il est important que vous structuriez correctement la forme des branches et des feuilles qui, lorsque vous les aurez assombries, serviront de référence pour les fleurs.*

2. *Lorsque vous exécutez un tableau floral, il est important que vous définissiez le fond sur lequel vous allez peindre les fleurs, les branches et les feuilles. En effet, il est plus simple de réaliser une tige fine sur une surface peinte que de réserver la forme de cette tige sur un fond. Comme pour tout autre thème réalisé à la couleur à l'huile, les premières couches doivent être beaucoup plus maigres que les suivantes. Commencez à couvrir le fond à l'aide de touches de bleu céruléen assez maigre. Appliquez-y ensuite quelques touches de blanc et de bleu de cobalt qui se mélangeront directement sur la toile. Pour représenter les œillets, appliquez des taches rouges sans forme bien définie. Peignez la partie sombre du vase dans un ton vert que vous dégraderez sur le blanc pur de la partie éclairée.*

3. *Renforcez le contraste de l'ombre du vase sur le fond à l'aide de bleu de cobalt que vous aurez rabattu en y ajoutant du blanc. Cela vous permettra de définir précisément la forme de sa base. Bien que vous les ayez traitées directement, les couleurs que vous avez appliquées jusqu'ici sur les fleurs étaient assez sales. Vous allez maintenant pouvoir utiliser des tonalités beaucoup plus lumineuses grâce auxquelles ces tons sales deviendront les tons foncés des fleurs. Peignez celles-ci à l'aide de petites taches lumineuses. Vous pourrez ainsi suggérer les pétales, sans qu'ils soient bien définis.*

Évitez d'appliquer des taches et des tracés frais et spontanés dans le cas de travaux qui requièrent un certain contrôle des formes, car les épaisseurs excessives de couleur constituent un obstacle pour l'élaboration des détails.

4. *Il est très important d'appliquer les contrastes des tons verts au cours de cette phase, car ils permettent de vérifier la véritable luminosité des fleurs. Les contrastes simultanés entre les différentes lumières jouent un rôle essentiel dans ce type de travail, particulièrement spectaculaire. Peignez les branches qui s'étendent des deux côtés du vase dans un ton terre de Sienne, puis tracez et définissez les contours de leurs feuilles. Retouchez ensuite le fond pour parfaire définitivement les contours des feuilles et des branches. Observez, sur le détail ci-dessus, la façon dont la partie du fond située entre les branches a été retravaillée.*

5. *Tout comme le fond, les fleurs doivent être peintes à l'aide de taches de couleur bien définies. Vous pouvez maintenant commencer à peindre les tiges qui viendront compléter le bouquet. Tracez ces tiges sur le fond bleu ; le ton vert des tiges et la couleur du fond se mélangeront. Ce procédé est important car il permet de transmettre la luminosité de l'atmosphère. Enrichissez les fleurs en y ajoutant de petites taches très directes et lumineuses, tout en recherchant la direction de la lumière.*

Si, à première vue, le fond semble avoir peu d'importance et mériter peu d'attention, il n'en est rien. La mise en valeur, le relief et la coloration de l'élément principal du tableau dépendent dans une large mesure de la qualité d'exécution du fond.

6. Les finitions de cette nature morte doivent être très fraîches ; il convient donc de ne pas trop insister sur les touches pour éviter que les couleurs ne se fondent trop. La dernière phase d'exécution du tableau consiste en la recherche des lumières les plus fortes et les plus directes. Utilisez du jaune de cadmium pour peindre les zones les plus fortes et les plus brillantes des fleurs jaunes, et du jaune de Naples pour peindre leurs reflets. Employez du blanc pour représenter les reflets les plus ponctuels des œillets. Mélangé à du carmin, le blanc donnera naissance à des tons rosâtres.

SCHÉMA-RÉSUMÉ

Le fond doit être peint en premier lieu car les tiges et les fleurs viendront s'y superposer.

Les fleurs s'obtiennent à l'aide de taches ne présentant pas une forme bien définie. Dans le cas des fleurs jaunes, ces taches doivent être de couleur grisâtre.

Le vert des **tiges** peintes en dernier entraîne une partie de la couleur du fond.

Les points de lumière et les reflets des fleurs doivent être peints au dernier moment. Ils s'obtiennent à l'aide de petites taches directes très brillantes et contrastées.

THÈME

15 Profondeur dans le paysage

CONSTRUCTION DU PAYSAGE

La construction du paysage doit être basée sur la définition des différents plans qui le composent, en tenant compte des riorités établies par l'artiste. Un paysage comme celui que ous vous proposons ci-dessous pourrait, par exemple, être bordé en faisant abstraction de la zone d'eau qui s'interpose ntre l'observateur et les arbres. Mais nous avons choisi de la onserver pour apporter une certaine profondeur au paysage, ne profondeur due à l'existence de plusieurs plans.

Le paysage constitue le meilleur lien entre le peintre et la nature, mais certains points peuvent s'avérer complexes s'ils ne sont pas abordés avec les techniques adéquates. Nous allons étudier ici quelques-uns de ces points : la profondeur et la façon de résoudre chacun des plans grâce à la couleur, ainsi que le coup de pinceau et la tache correspondante. Suivez attentivement les exercices proposés ci-après ; ils vous permettront de résoudre un grand nombre d'incertitudes.

▼ 1. *L'exécution de l'ébauche est une hase importante, car elle permet l'étudier la composition et d'effectuer insi les corrections nécessaires. Bien ue réalisée à la couleur à l'huile, cette eprésentation schématique doit posséder n caractère graphique. Appliquez des ouches de couleur maigres, mais très èches, pour que la texture du tracé ous permette de résoudre les ormes d'une façon très générale.*

▼ 2. *À partir de ce schéma très synthétique, commencez à appliquer des tons lumineux. La quantité de couleur utilisée pour exécuter ce type de travail étant toujours élevée, il convient de définir assez exactement chacune des zones de couleur. La touche de couleur doit posséder un caractère constructif adapté à la zone concernée. Si les couleurs du ciel, telles qu'elles se présentent à ce stade de l'exécution, sont définitives, il en est différemment pour les couleurs foncées des arbres et pour celles des reflets sur l'eau.*

▼ 3. *Après avoir appliqué les couleurs les plus lumineuses, concentrez-vous sur les tons sombres. Vous devez exercer une pression appropriée sur la toile pour vous contenter de déposer la couleur. Procédez de cette façon pour peindre les arbres. Appliquez de nombreuses touches de couleur de taille réduite en alternant l'emploi de couleurs foncées dans les zones d'ombre et de couleurs plus claires dans la partie éclairée.*

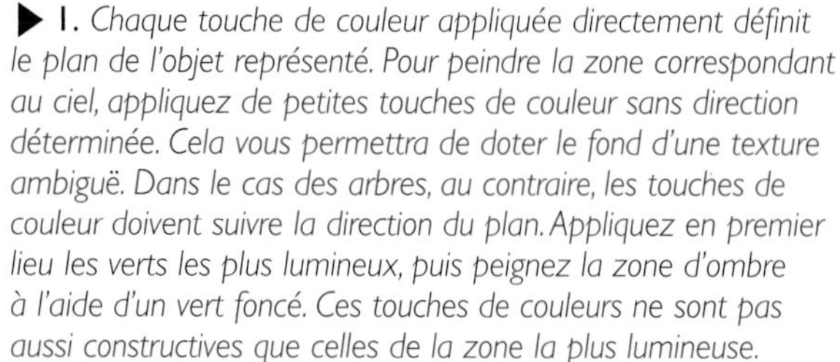

▶ 1. *Chaque touche de couleur appliquée directement définit le plan de l'objet représenté. Pour peindre la zone correspondant au ciel, appliquez de petites touches de couleur sans direction déterminée. Cela vous permettra de doter le fond d'une texture ambiguë. Dans le cas des arbres, au contraire, les touches de couleur doivent suivre la direction du plan. Appliquez en premier lieu les verts les plus lumineux, puis peignez la zone d'ombre à l'aide d'un vert foncé. Ces touches de couleurs ne sont pas aussi constructives que celles de la zone la plus lumineuse.*

TACHES DE COULEUR

La profondeur du paysage peut être obtenue par l'intermédiair de taches qui définiront chacune des formes et chacun de éléments qui le composent. Les caractéristiques des petites touche de couleur qui constituent un paysage contribuent notablemen à la création des différents plans qui donnent l'impression de pro fondeur. Nous vous proposons ici un exemple qui vous permettr de vous exercer à cette technique. Le processus d'applicatio des taches de couleur que vous emploierez pour représenter le arbres contribuera à renforcer l'effet de profondeur du tableau.

Un pinceau langue de chat moyen est un outil approprié pour effectuer la pose des taches. Les touches de couleur obtenues à l'aide de ce type de pinceau ne se terminent pas de façon trop brusque, ce qui facilite un mélange rapide sur la toile. L'emploi d'un pinceau moyen évite l'exécution de détails inutiles.

▶ 2. *Appliquez de nouvelles tonalités directes de vert sur la cime des arbres, en évitant que les tons foncés et clairs fusionnent. Chaque touche de couleur doit correspondre à un plan qui contribuera à définir la forme de la cime des arbres. Les touches doivent se superposer et être appliquées de telle sorte que différent tonalités de vert alternent dans les zones d'intersection entre la lumière et l'ombre. Le type de touche doit varier en fonction de la distance à laquelle se trouve l'arbre. Utilisez de la terre d'ombre brûlée, de la terre de Sienne, du carmin, du jaune, du vert et du blar pour peindre la zone correspondant au sol. Les touches de couleur appliquées dans cette portion du tableau doivent être inclinées. Chaque touche entraînera une partie de la couleur adjacente.*

◀ 3. *Plus vous approchez de l'achèvement du tableau, plus les touches doivent être précises et plus elles doivent avoir pour objet la définition des plans correspondants. Cette fonction de définition doit être plus marquée au premier plan que sur le reste du tableau.*

QUELQUES TEXTURES

a texture des touches de couleur
— joue un rôle essentiel dans l'exemple
i-après car, comme vous pourrez le
onstater, quelques taches de couleur
uffisent pour suggérer l'épais manteau
le fleurs et la cime des arbres situés dans
e lointain. Le traitement des diverses
extures doit être abordé différemment
our les éléments les plus proches et
our les plus éloignés.

▶ 1. *Dans la mise en œuvre initiale des couleurs, la seule différence existant entre les zones provient des tons qui séparent les plans en fonction de la distance. Seules les couleurs indispensables doivent être appliquées au cours de cette première intervention. Évitez tout travail superflu relatif à la couleur. La pose des taches initiales permet d'établir les bases de couleur qui serviront de support aux tracés ultérieurs, aux taches et, en dernier lieu, aux textures.*

◀ 3. *De petites nuances de couleur vous permettront de différencier les plans et de mettre en évidence la texture, le volume et la luminosité des zones. Revenez aux nuages, préalablement peints en blanc : appliquez-y le même ton bleu clair que celui que vous avez utilisé pour peindre le ciel qui les entoure. Superposez directement les tons foncés de la végétation aux couches précédentes.*

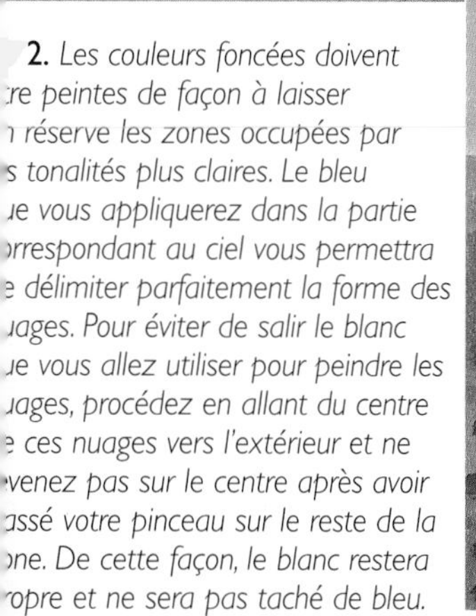

2. *Les couleurs foncées doivent
re peintes de façon à laisser
1 réserve les zones occupées par
s tonalités plus claires. Le bleu
ıe vous appliquerez dans la partie
ırrespondant au ciel vous permettra
e délimiter parfaitement la forme des
ıages. Pour éviter de salir le blanc
ıe vous allez utiliser pour peindre les
ıages, procédez en allant du centre
e ces nuages vers l'extérieur et ne
venez pas sur le centre après avoir
ıssé votre pinceau sur le reste de la
ıne. De cette façon, le blanc restera
opre et ne sera pas taché de bleu.*

▶ 4. *Peignez les principales zones de lumière en posant de petites taches directes de jaune sur le vert appliqué précédemment. Pour terminer, exécutez les derniers détails : appliquez de petites taches de rouge de cadmium qui représenteront les coquelicots. La texture est très évidente et contrastée au premier plan. Dans les zones plus éloignées, elle est, au contraire, plus générale et se rapporte plutôt à une portion du tableau qu'aux détails.*

PROFONDEUR ET COULEUR

Le paysage peut être interprété de tant de façons qu'il est impossible de les énumérer toutes. Nous avons déjà abordé toutes sortes de taches et de tracés, la réalisation des plans à l'aide de petites taches directes et toute une série de possibilités qui facilitent la création d'un effet de profondeur. La couleur, elle aussi, peut renforcer cet effet. Nous vous proposons ici d'exécuter un paysage très coloré. Le but de cet exercice est de créer une impression de distance entre le plan du sol et celui du ciel grâce aux couleurs employées dans chacune de ces zones.

▶ **1.** *S'agissant d'un paysage à la tombée du jour, peignez le ciel dans un ton orange, en laissant les nuages en réserve pour que la couleur du ciel délimite leur forme. Utilisez une tonalité violacée pour peindre les zones sombres. Les deux couleurs employées au début étant complémentaires, lorsque vous incorporez le violet, le jeu de contrastes a pour effet de faire ressortir le blanc des nuages, qui devient beaucoup plus lumineux.*

▶ **2.** *Les couleurs t[...] lumineuses atténue[...] nettement l'effet de distance. Il est donc nécessaire de compenser le contra[...] en incorporant quelq[...] tons légèrement gris. Utilisez ce procédé pour les nuages : appliquez-y des touches de blanc gris. Pour éviter que le contraste ne soit trop fort, peignez les zones de lumière en commençant par la partie la plus éclairée, puis lorsque vous arrivez aux tons foncés, entraînez-en une partie pour que la couleur claire se mélange à ces tons.*

▶ **3.** *Utilisez deux tons de vert pour peindre la partie inférieure du paysage. Dans la zone située au premier plan, les touches, de couleur vert foncé, doivent être verticales, alors qu'en ce qui concerne les zones éloignées, elles doivent être allongées et horizontales, et d'une couleur proche du jaune. Il ne vous reste plus ensuite qu'à appliquer quelques petites taches rapides de couleur rouge, qui contrasteront fortement avec le vert de l'herbe.*

pas à pas

Paysage

La technique de la peinture à l'huile offre une grande variété de possibilités qui permettent d'envisager toutes sortes de traitements applicables aux paysages. Dans le cas de thèmes tels que celui que nous vous proposons ci-après, il est important de traiter chacun des plans de profondeur qui composent le modèle. Observez attentivement l'illustration ci-dessous : vous verrez que le premier plan abrite une rivière et, sur la droite, un arbre isolé. Les plans plus éloignés ne comportent pas d'éléments aussi précis, mais abritent une grande masse de végétation. Ce paysage n'est pas difficile à résoudre, mais il est important d'observer la composition de chacune de ses zones.

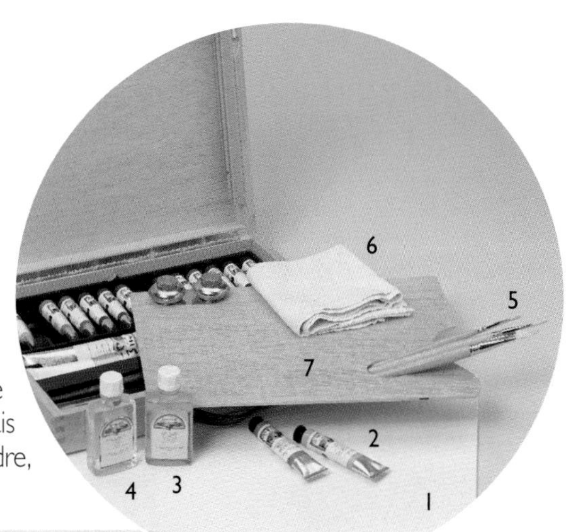

MATÉRIEL NÉCESSAIRE

Carton entoilé (1), couleurs à l'huile (2), huile de lin (3), essence de térébenthine (4), pinceaux (5), chiffon (6) et palette (7).

1. *L'ébauche du paysage doit être réalisée directement à la couleur à l'huile. Utilisez une couleur très maigre, mais très sèche, pour définir chacun des plans. Représentez les principaux volumes de la forêt située dans le fond à l'aide de taches foncées et denses. Si, dans certains cas, il faut que le schéma représente au mieux toutes les formes du modèle, dans celui-ci, il doit uniquement comporter les lignes principales de chacun des plans.*

2. *Après avoir ébauché le paysage, préparez un mélange composé pour l'essentiel de blanc, de bleu céruléen et d'une pointe de carmin pour peindre le ciel. Les touches de couleur qui vous permettront de résoudre cette première phase doivent être allongées et se fondre presque totalement les unes sur les autres. Il est important d'accorder un traitement particulier à la couleur pour chacun des plans du paysage. Commencez par les plans les plus éloignés sur lesquels vous appliquerez des touches de couleur exemptes de texture. Poursuivez votre travail sur les plans plus proches à l'aide de touches plus épaisses et de taille plus réduite. Cet effet de tracé et de touche contribue à la définition de chacun des plans de profondeur. Après avoir peint la zone correspondant au ciel, appliquez le ton violet (mélangé à du blanc) des montagnes et la première masse de vert située dans le fond.*

Pour peindre correctement chacun des plans du tableau, il faut définir préalablement les principaux tons foncés. Les corrections à réaliser sur les touches de couleur initiales doivent être effectuées à l'aide d'un chiffon imprégné d'essence de térébenthine ou, lorsqu'il s'agit de retirer un excès de couleur dans une zone déterminée, à l'aide d'un couteau.

3. *Les couleurs les plus proches doivent renfermer moins de blanc et être plus pures que les autres. Cela permet d'augmenter les contrastes par rapport aux plans éloignés. Les touches de couleur appliquées dans la zone correspondant au bosquet situé au centre du paysage doivent être beaucoup plus épaisses et de taille bien plus réduite. Elles ne doivent pas entraîner les couleurs du fond.*

4. Appliquez un ton blanchâtre sur la zone intermédiaire, c'est-à-dire sur le bosquet. Ce ton délimitera la forme de l'ensemble. En partant de la zone supérieure, commencez à appliquer des tracés bleus sur le vert blanchâtre du fond. Ces touches de couleur, courtes et verticales, se mélangeront, sans se fondre, avec le fond. Les touches de couleur appliquées tout autour de cette zone doivent être plus courtes et plus vives. Utilisez une grande variété de verts pour peindre la zone centrale et la partie située à gauche de la rivière.

5. Pour peindre les arbres situés au centre du paysage, appliquez une grande variété de touches courtes et utilisez des tons violacés, bleus et carmin foncé.

6. Peignez les contrastes les plus sombres dans la zone centrale du bosquet. Utilisez des tonalités violacées très claires pour réaliser les tracés les plus lumineux de ce plan, et du vert foncé et du bleu pour peindre les zones les plus sombres. Les touches de couleur doivent être plus serrées et plus contrastées sur la rive gauche de la rivière que sur sa rive droite. Achevez la définition de l'arbre situé au premier plan. En partant de la cime, appliquez de courtes touches de couleur qui entraîneront une partie de la couche précédente. Peignez ensuite le tronc dans un ton brun très sombre.

7. *Il ne vous reste plus qu'à augmenter progressivement les contrastes à l'aide de petites touches de couleur qui rehausseront le ton tout en définissant les formes des plans les plus proches. Appliquez de nouvelles couleurs sombres sur la rive gauche de la rivière. Conjointement à la luminosité de l'eau, ces tons auront pour effet d'augmenter le contraste. Rehaussez également les contrastes de la rive droite, dans la zone la plus proche du premier plan.*

SCHÉMA-RÉSUMÉ

La zone correspondant au **ciel** doit être peinte à l'aide de longues touches de couleur.

Les couleurs du fond renferment du blanc. Cela permet d'augmenter la sensation de profondeur.

Les couleurs les plus foncées du centre du paysage s'obtiennent à l'aide de petites touches verticales.

La cime de l'arbre principal doit être peinte progressivement, en superposant des touches courtes et contrastées à des tons plus fondus avec le fond.

Les touches de couleur appliquées au premier plan doivent être de plus en plus courtes et de plus en plus contrastées.

THÈME

16

Ciels

LA STRUCTURE DES NUAGES

Le ciel est l'une des parties du paysage susceptible d'offrir le plus de liberté au peintre. En effet, en supposant que vous choisissiez à plusieurs reprises un même paysage comme modèle, vous ne remarquerez pas énormément de changements, excepté en ce qui concerne le ciel, qui ne sera jamais identique. Les modifications de l'apparence du ciel affectent la couleur du paysage comme le caractère atmosphérique. Ce thème est sujet à tant de variations que chaque fois que vous représenterez le ciel, cela équivaudra à peindre un nouveau tableau. Chaque nuage est unique. Lorsque vous aurez peint la forme changeante d'un nuage déterminé, vous ne retrouverez plus jamais cette forme.

Il ne faut jamais oublier que la représentation de toute forme sur la toile, même la plus abstraite, comme c'est le cas d'un nuage, doit suivre les règles d'exécution propres à la technique de la peinture à l'huile. Cela est également valable pour la représentation schématique de la forme qui doit précéder les premières applications de couleur.

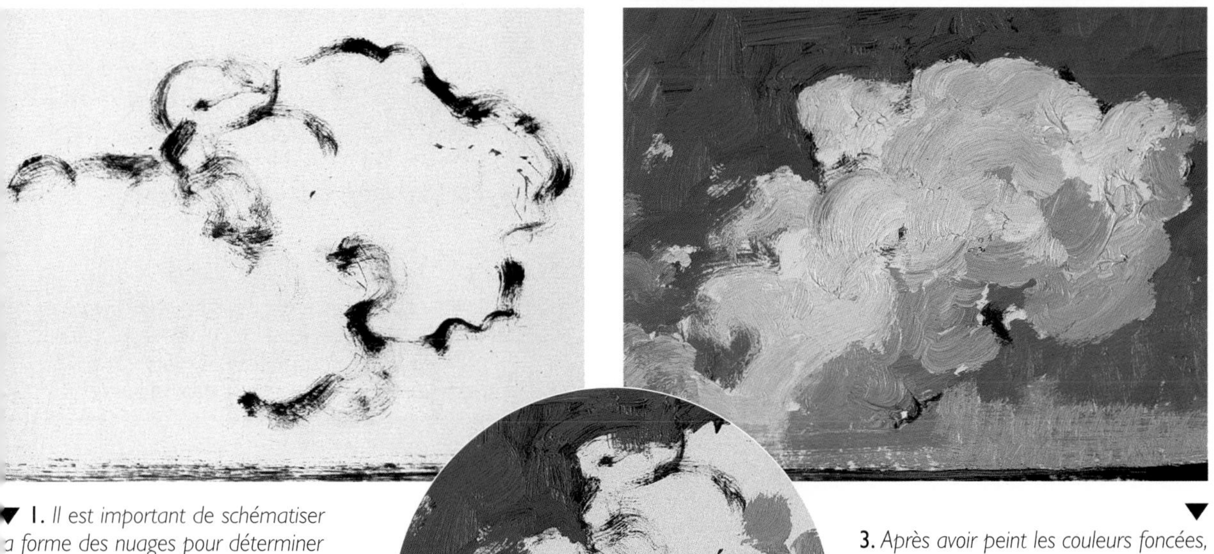

1. Il est important de schématiser la forme des nuages pour déterminer l'emplacement exact des taches et des couleurs. L'ébauche de la forme des nuages s'effectue à l'aide d'un pinceau fortement imprégné d'essence de térébenthine et peu chargé en couleur. La trace laissée par le pinceau est plus que suffisante pour esquisser la forme principale du nuage.

2. Mélangez du bleu céruléen, du bleu de Prusse et du blanc sur votre palette. Peignez la zone de ciel qui entoure les nuages de façon à délimiter leurs contours. La grosse masse nuageuse doit être isolée au milieu du bleu du ciel. Le blanc du fond correspond à la couleur de la toile. Peignez les nuages dans des tons gris légèrement bleutés. Laissez les zones lumineuses en réserve.

3. Après avoir peint les couleurs foncées, peignez les blancs les plus importants et les plus directs. Si le blanc pur vous semble trop éclatant, ajoutez-y du jaune de Naples pour réduire la luminosité du ton. Appliquez également quelques petites taches de blanc sur le bleu. Entraînées par le pinceau, ces deux couleurs se mélangeront. Ainsi se termine l'exécution de cette ébauche.

▶ **1.** *Les premières couches de couleur doivent être légèrement diluées dans de l'essence de térébenthine pour faciliter leur application sur la toile. Elles serviront ainsi de base aux couches ultérieures, qui seront beaucoup plus grasses. Pour commencer, schématisez la forme des nuages. Ce schéma s'effectue directement à la couleur à l'huile. Comme vous pouvez le constater, il n'est pas nécessaire de faire preuve d'une grande précision, mais il convient de définir les formes les plus importantes pour situer assez précisément l'emplacement des couleurs.*

L'EMPLOI DU BLANC

Nous vous proposons ici d'étudier l'effet de l'application d'une couleur de base autre que le blanc de la toile en vue de vous exercer à l'emploi du blanc pour l'élaboration des nuages. Bien que cet exemple soit simple à réaliser, il requiert certaines connaissances concernant le maniement des différentes gammes chromatiques. Avant de commencer à travailler à la couleur, vous devez apprêter le support sur lequel vous allez peindre. Utilisez un carton entoilé enduit d'acrylique. Le séchage de ce type d'apprêt étant rapide, vous pourrez presque immédiatement commencer à peindre.

▶ **2.** *La forme des nuages doit être délimitée par un ton bleu qui va en se dégradant vers l'horizon. Dans la zone supérieure du ciel, appliquez un bleu très pur délimitant la forme des nuages. Fondez ce ton avec du blanc dans la zone inférieure. Les couleurs à l'huile peuvent être superposées indépendamment de leur luminosité. Les couleurs les plus lumineuses, telles que le blanc et le jaune de Naples, se salissent facilement. Il est donc important d'établir les limites de chacune des zones avant de commencer à peindre les tons clairs des nuages.*

▶ **3.** *Peignez tout d'abord les tons foncés des nuages. Les blancs et les reflets directs ne doivent être peints qu'en dernier lieu. Il ne doit pas exister de contraste très marqué entre les tons clairs et les tons foncés. Ils doivent au contraire se fondre doucement dans certaines zones, les transitions ne devant jamais être anguleuses. L'application des blancs doit être effectuée lors de la dernière phase : ils permettront de rehausser les points de lumière préalablement laissés en réserve. Pour terminer, rehaussez les tons les plus lumineux à l'aide de petites taches directes. Il est important de respecter la direction des touches de couleur dans chacune des zones des nuages.*

1. *La première application de couleur réalisée sur la ɔne correspondant au ciel doit être très gestuelle. Après voir dessiné un schéma direct du modèle, comme vous l'avez fait précédemment, peignez les bleus qui délimitent la forme des nuages. Procédez par touches libres, mais en évitant que les tons de bleu ne usionnent. Le travail concernant la partie intérieure des nuages doit également être effectué de façon très libre ; appliquez tout d'abord les gris qui encadrent s reflets et, en dernier lieu, les blancs les plus lumineux.*

LA COULEUR SUR L'HORIZON

Lorsque vous peignez un ciel nuageux, vous devez tenir compte du fait que le ciel ne possède pas toujours la même valeur chromatique sur toute son étendue. Selon l'heure, le temps et l'endroit depuis equel vous l'observez, l'horizon peut varier ostensiblement. Pour vous exercer à cet effet subtil, nous vous proposons d'exécuter un ciel présentant des finitions spontanées, comme vous l'avez fait usqu'à présent, mais à une différence près : lorsque vous aurez atteint cette dernière phase d'élaboration, vous poursuivrez votre travail en fondant les tons et les couleurs pour annuler totalement toute marque ndiquant la direction du tracé.

2. *Jusqu'à présent, vous avez appliqué les couleurs de façon très directe et spontanée, et la différence de ton avec l'horizon est évidente. Vous pourriez arrêter là votre travail et laisser l'ensemble en l'état, mais le but de cet exercice est d'aller légèrement au-delà de cet aspect spontané. À partir de ce stade, vous allez devoir fondre les couleurs pour obtenir un résultat différent du précédent. Commencez à adoucir les bleus à l'aide d'un pinceau plat. Les limites entre les touches doivent se fondre totalement.*

En même temps que vous adoucissez les empreintes des touches sur le bleu du ciel, réalisez un apport de ouvelles tonalités qui enrichiront le tableau. Ajoutez des tons violets dans la zone supérieure du ciel et des tons légèrement rougeâtres près de la ligne d'horizon. Les touches de couleur doivent être fluides et délicates. sistez à plusieurs reprises sur chaque touche jusqu'à ce ue ces apports se mélangent avec les tons précédents, mais sans que l'empreinte du pinceau soit visible. Vous pouvez ajouter quelques gouttes d'huile de lin au élange réalisé sur la palette, ainsi que quelques gouttes de vernis hollandais pour que la couleur soit très fluide.

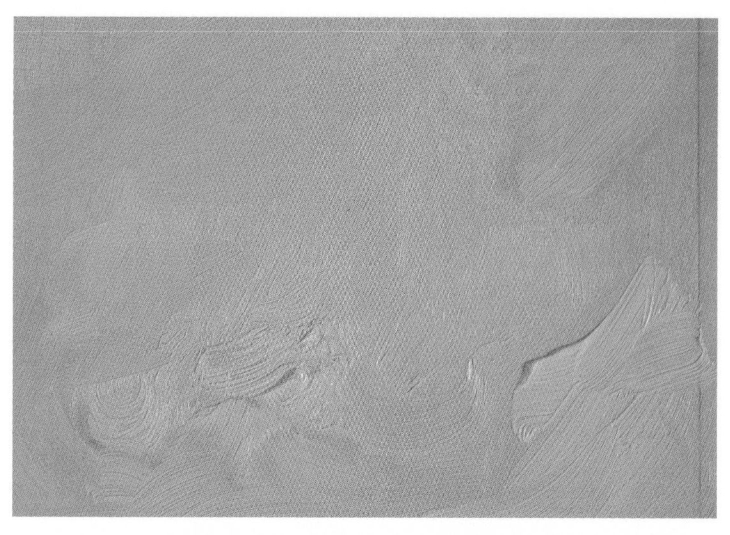

▶ 1. *Les empâtements de couleur sont faciles à réaliser. Si aucun contraste très direct ou très fort n'intervient dans le tableau, une première gamme de tons lumineux peut servir de point de départ. Peignez le nuage à l'aide des tons moyens correspondants et entourez-le d'une couche dense de jaune de Naples. L'effet obtenu est d'une grande luminosité. Comme vous pouvez le constater, le ciel ne doit pas toujours être représenté en bleu.*

CROQUIS RAPIDE

Les croquis permettent d'effectuer une interprétation rapide et spontanée des nuages. Un travail dont le résultat est immédiat, comme celui que nous vous proposons ici, peut servir de référence pour l'élaboration d'autres tableaux ou pour un simple exercice. L'application de la couleur peut être effectuée de diverses façons, en mettant l'accent sur un travail gestuel ou sur la fusion des couleurs. Ces deux options sont parfaitement valables pour l'exécution de croquis. Combinée avec les empâtements, l'atmosphère peut créer un effet intéressant. C'est dans cette optique que vous devrez réaliser cet exercice.

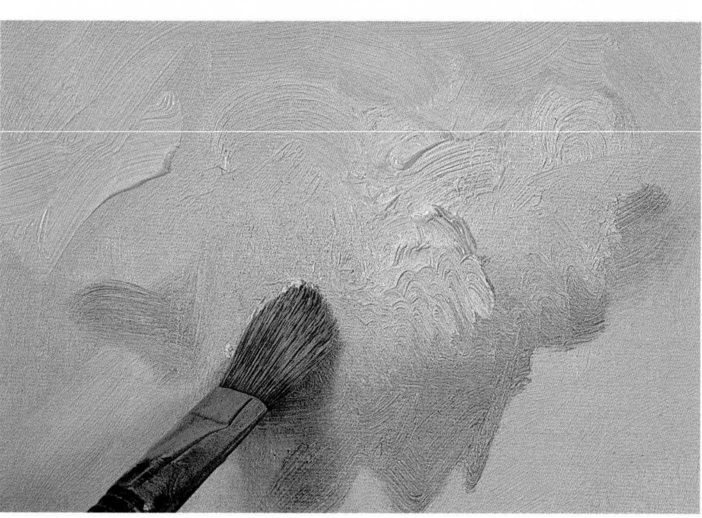

▶ 2. *Après avoir appliqué les tons lumineux, il faut définir la forme du nuage grâce à un apport de tons foncés. N'employez pas de noir, mais de la terre d'ombre brûlée ou du brun, ou un bleu très foncé, quel qu'il soit. Appliquez les gris nécessaires à l'intérieur du nuage et superposez les blancs les plus lumineux.*

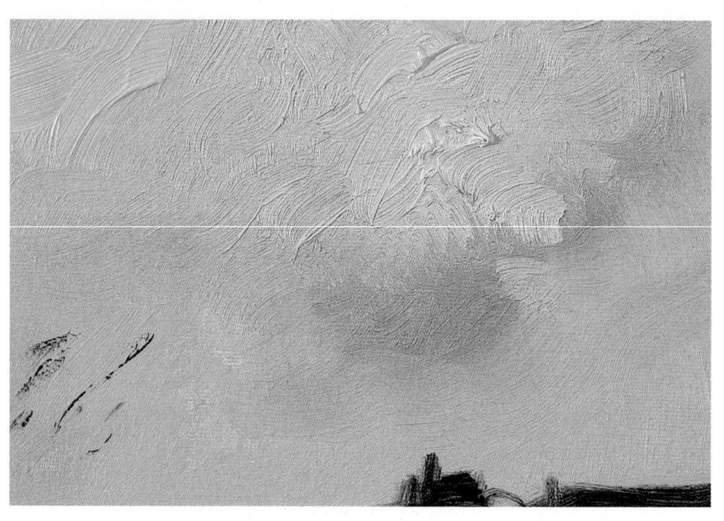

▶ 3. *Pour terminer, fondez quelques-unes des zones du nuage sur le ciel jaune pour les intégrer dans l'ensemble. L'effet obtenu est une atmosphère dense et légèrement brumeuse.*

pas à pas

Ciel nuageux

Le ciel est un sujet plus facile à représenter qu'une nature morte ou une figure. Il offre également à l'artiste une plus grande liberté d'interprétation qu'un paysage. La représentation d'un ciel peut être attrayante pour un peintre, car il ne s'agit pas obligatoirement d'un travail complexe. Le résultat obtenu peut, par contre, être particulièrement gratifiant. Nous vous proposons ici de réaliser un ciel nuageux. Bien que le sol ne soit pas visible sur le modèle, nous vous conseillons de peindre une fine portion de terrain pour que les nuages disposent d'une référence figurative qui fera ressortir leur imposante beauté.

MATÉRIEL NÉCESSAIRE

Couleurs à l'huile (1), palette (2), pinceaux (3), carton entoilé (4), huile de lin (5), essence de térébenthine (6) et chiffon (7).

1. *Schématisez la forme des nuages. Les premières lignes que vous tracerez doivent vous permettre de définir immédiatement les formes principales et la répartition des nuages dans le ciel. Pour que le pinceau glisse facilement sur la toile, utilisez un bleu de cobalt légèrement dilué dans de l'essence de térébenthine. Les nuages occupent la majeure partie du ciel. La partie visible du bleu du ciel est réduite, puisque celui-ci est couvert de nuages. L'objectif du schéma initial est de délimiter les formes les plus importantes, sans entrer dans les détails.*

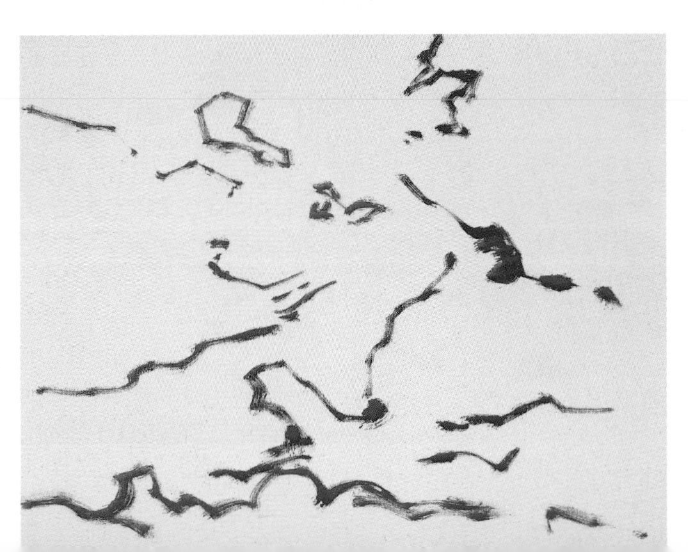

2. La forme des nuages étant définie, peignez la petite partie bleue du ciel. Utilisez un mélange de bleu de Prusse et de bleu céruléen. Augmentez la proportion de bleu céruléen dans ce mélange au fur et à mesure que vous descendez sur la toile. Vous obtiendrez ainsi un dégradé doux qui transmettra la sensation que le ciel est bas et vu en perspective. Les nuages préalablement ébauchés sont maintenant parfaitement délimités par le bleu du fond.

3. Utilisez un mélange composé de brun et d'une petite quantité de bleu pour peindre la frange correspondant à l'horizon. Vous pouvez ensuite peindre les nuages délimités par la portion bleue du ciel. Les tons employés doivent être gris bleutés ; vous les obtiendrez en mélangeant du blanc et la couleur initiale de chacune des zones. Pour peindre le gros nuage situé sur la gauche, utilisez un mélange de blanc et de bleu de Prusse, préparé en ajoutant du bleu sur le blanc, et non pas l'inverse. Peignez la partie la plus lumineuse de ce nuage à l'aide de jaune de Naples. Appliquez quelques tonalités violacées très claires dans la zone inférieure, sur les tons les plus proches de l'horizon.

4. Utilisez du bleu céruléen mélangé à beaucoup de blanc pour peindre les clairs les plus lumineux du gros nuage situé sur la gauche. Les couleurs du nuage se trouvant sur la droite sont plus variées et présentent un caractère plus orageux. Vous obtiendrez ces tons foncés et grisâtres en ajoutant du brun Van Eyck au mélange des gris.

Nous vous conseillons de disposer d'archives photographiques classées par thèmes. Vous pouvez constituer ce fond documentaire à partir d'images découpées dans des magazines et de photographies que vous aurez prises vous-même.

5. *Assombrissez les gris de la partie inférieure. Superposez ces gris, réalisés à l'aide de brun Van Eyck, de bleu de Prusse et de blanc, aux couleurs plus claires appliquées au début de l'exercice. Appliquez également quelques touches de bleu dans la zone omprise entre les nuages situés sur la gauche. Ces bleus contrasteront avec les tons foncés de la zone inférieure du gros nuage.*

Nous vous conseillons d'employer du brun ou de la terre d'ombre plutôt que du noir pour obtenir des gris. Lorsque l'on assombrit des couleurs à l'aide de noir, les gammes obtenues sont pauvres et sales. De plus, lorsque l'on fait intervenir du jaune dans le mélange, le gris dérivé du noir convertit ce mélange en un ton verdâtre sale.

6. *Pour peindre les tons lumineux des nuages, utilisez du blanc très mélangé avec les couleurs de votre palette, surtout dans la zone inférieure la plus proche de l'horizon. Les touches de couleur doivent y être très courtes ; elles entraîneront une partie de la couche précédente. Ébauchez le profil de quelques arbres sur la ligne d'horizon. Utilisez pour ce faire une couleur dense et sombre. Les arbres les plus proches doivent être bien contrastés. Les autres, beaucoup plus petits en raison de leur éloignement, doivent uniquement être suggérés à l'aide de couleurs un peu plus sombres que celles du ciel.*

7. *Peignez également quelques arbres sur la partie gauche de la ligne d'horizon. Ils vous aideront à définir la zone inférieure de ce paysage. Pour terminer, peignez les zones les plus lumineuses des nuages dans des tonalités presque blanches pour couvrir les zones laissées en réserve dès le début. Les coups de pinceau appliqués pendant cette phase d'élaboration doivent être beaucoup plus précis. Vous pourrez le constater sur l'illustration ci-dessus et plus particulièrement sur le nuage situé sur la droite, qui est celui qui requiert le plus de travail.*

SCHÉMA-RÉSUMÉ

Le schéma des nuages s'effectue à l'aide d'un bleu légèrement dilué dans de l'essence de térébenthine. Le début de l'élaboration de ce modèle ne diffère pas de tout autre thème réalisé à la couleur à l'huile en ce qui concerne la technique employée.

Les tons les plus clairs doivent être peints en dernier. Les détails sont réalisés à l'aide de petites taches directes.

Le bleu du fond délimite la forme des nuages, bien que ceux-ci occupent la majeure partie du paysage. Les gris assombrissent les zones d'ombre des nuages. Il convient d'utiliser des couleurs sombres autres que le noir pour obtenir les gris car, dans le cas contraire, les tons qui résulteront du mélange seront très pauvres.

Les gris les plus sombres s'obtiennent à l'aide de brun Van Eyck. Ils modèlent les nuages et définissent leur forme.

THÈME

17 Arbres et végétation

SCHÉMATISATION DE L'ARBRE

Les éléments du paysage que sont les arbres exigent une étude approfondie de la nature. Leur interprétation grâce à la peinture est étroitement liée au dessin de leurs formes. Ce thème vous propose, d'une part, d'étudier les structures des troncs et des branches, et, d'autre part, d'aborder des notions relatives à l'interprétation de différents types de végétation à partir de la couleur et de l'étude des touches de couleur dans chacune des zones. Les exercices ci-après vous proposent de nouvelles techniques simples qui vous permettront de peindre des paysages.

Aussi simple soit-il, un arbre n'est jamais un simple bâton d'où surgissent quelques branches. Bien souvent, les arbres sont sinueux et présentent de petites irrégularités de texture qui forment des nœuds et des veines. Le peintre doit néanmoins et, dès le début, se contenter d'en réaliser une représentation géométrique schématique, comme celles que nous avons étudiées dans les thèmes précédents. Quelle que soit la complexité de la forme de l'arbre, c'est à partir de formes géométriques élémentaires que vous parviendrez à la reproduire au mieux. L'exemple suivant vous montre comment définir la forme d'un arbre à partir de lignes simples.

▼ 1. *Les premières couleurs à appliquer après avoir terminé l'ébauche sont les tons foncés de la cime et du tronc. Les touches de couleur foncée qui vous permettront d'assombrir ces zones doivent être épaisses, dessinez celles-ci le plus définitivement possible. Évitez de modeler les tons lors de la définition des formes initiales, car l'objectif de cette phase est de différencier très nettement les zones d'ombre et de lumière.*

▼ 2. *Jusqu'à présent, vous avez appliqué les tons foncés qui délimitent les zones lumineuses. Il convient maintenant de décrire la cime dans son ensemble et, pour cela, de couvrir le fond pour isoler les zones lumineuses de cette partie de l'arbre. Si vous laissez la cime en réserve, la couleur du fond ressortira lorsque vous aurez peint le reste du tableau. Peignez le fond à l'aide d'un mélange de bleu, de blanc et de rouge, en ajoutant quelques-unes des couleurs sales qui sont encore sur votre palette.*

▼ 3. *Peignez les zones de luminosité maximale de la cime de l'arbre et renforcez-les. Étant donné que vous avez maintenu cette zone en réserve, les couleurs les plus lumineuses resteront propres. Prêtez une attention particulière à la texture imprimée par les touches de couleur, qui doivent être courtes et épaisses. Il convient de mélanger quelques touches de jaune directement sur la toile.*

▶ *Détail de la fusion atmosphérique des couleurs.*

LA CIME DE L'ARBRE ET L'ATMOSPHÈRE

L'exercice précédent vous a permis d'étudier le traitement d'un arbre isolé, un sujet assez simple mais qui peut présenter certaines difficultés lorsqu'il s'agit de l'intégrer dans un paysage. Les arbres ne trouveront leur place dans le paysage que grâce à l'atmosphère. L'exercice que nous vous proposons ici fait appel aux notions étudiées précédemment et a pour but d'intégrer la cime de l'arbre à l'ensemble du tableau. Comme vous pouvez le constater, il ne s'agit pas d'un travail très complexe. Il suffit de considérer la couleur du fond comme un contraste propre à la couleur de l'arbre.

▶ 1. *Cet exercice consiste à définir l'emplacement de quelques arbres situés dans le lointain et d'un arbre isolé qui se trouve au premier plan, proche du point de vue de la personne qui observe le paysage. Les arbres situés dans le fond doivent être peints dans des tons qui intègrent la couleur de l'atmosphère. Utilisez un vert tirant sur le blanc auquel vous incorporerez du jaune de Naples pour atténuer le ton pastel. Comme dans le premier exercice, le fait de couvrir le fond permet de délimiter les contours de l'ébauche d'origine. Il existe une importante différence de contraste entre les éléments situés au premier plan et ceux qui se trouvent sur le plan le plus éloigné. Les arbres situés dans le fond présentent très peu de contraste.*

▶ 2. *Les mélanges employés pour peindre l'arbre situé au premier plan ne doivent pas contenir de blanc. Le renforcement des contrastes s'obtient à l'aide de verts foncés, de terre d'ombre brûlée et de bleu. Il en résulte une différence nette entre le plan des arbres situés dans le fond et le premier plan. La zone correspondant au sol doit être résolue de la même façon. Le premier plan doit être chargé de jaunes, de rouges et de terre de Sienne, sans adjonction de blanc, alors que le fond doit être réalisé à l'aide de tons pastel.*

BRANCHES

La structure des branches peut s'avérer très complexe si vous n'observez pas attentivement le modèle. Il convient avant tout de souligner que tout exercice ayant trait à la représentation d'arbres exige une étude préalable approfondie de leur structure, dont l'une des composantes essentielles est la façon dont elles sont reliées avec le tronc. Nous vous proposons ici deux exercices qui consistent à analyser et à peindre des branches. Étudiez-les attentivement car ils vous permettront de réaliser aisément tout sujet comportant des arbres.

▼ 1. *L'une des techniques les plus couramment utilisées consiste à réaliser le schéma au fusain. Dans le cas présent, dessinez les deux grosses branches qui partent du tronc et esquissez des traits isolés pour représenter les branches plus fines.*

▼ 2. *L'esquisse réalisée au fusain constitue une base pour commencer à travailler à la couleur de façon très sûre. Appliquez les tons foncés du tronc et étendez-les jusqu'aux branches les plus fines. Peignez ensuite le fond en le superposant au dessin initial. Retracez les branches sur le fond peint, mais cette fois au pinceau.*

1. *Dans cet exercice, la schématisation doit être réalisée directement à la couleur à l'huile. Utilisez pour ce faire une couleur maigre et un pinceau assez sec. Après avoir ébauché les lignes fondamentales de cet arbre, peignez la zone située à l'intérieur de ses contours dans des tons d'intensités différentes et en alternant des touches de couleur parfaitement transparentes et d'autres plus opaques. Représentez les branches à l'aide de touches libres.*

▲

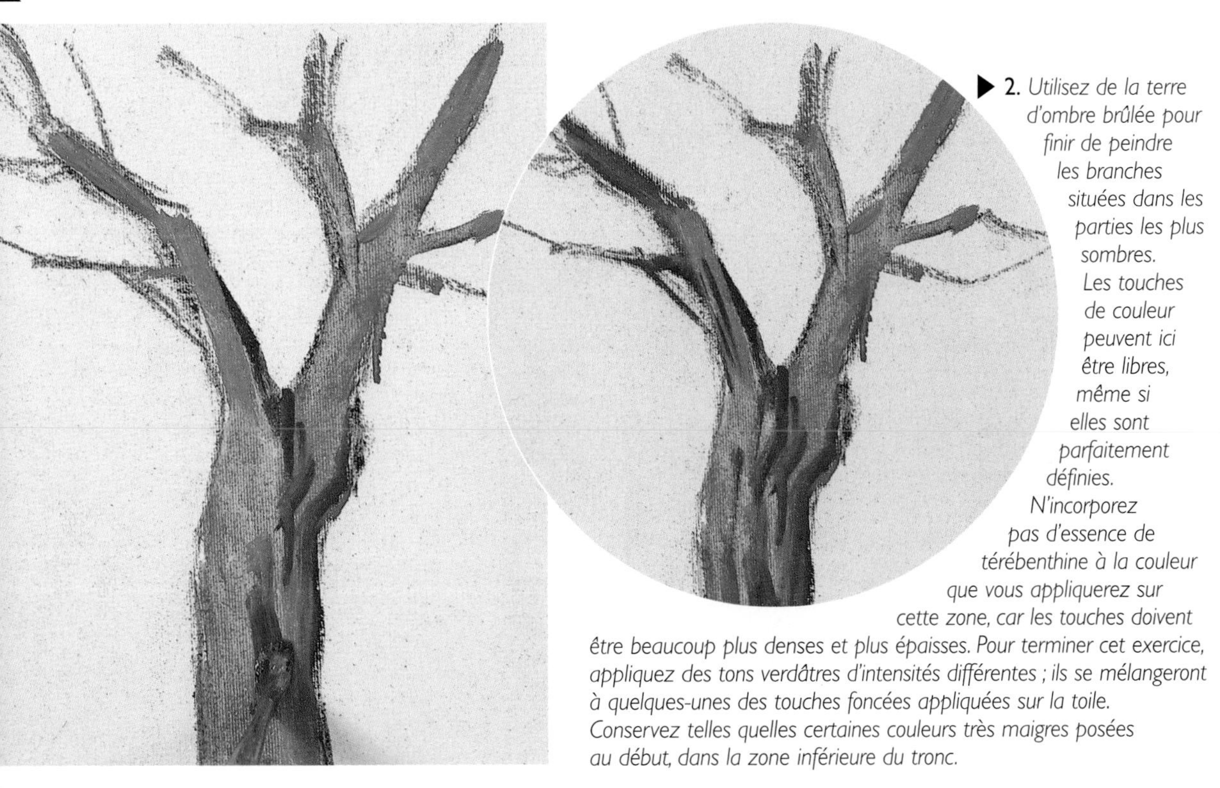

▶ 2. *Utilisez de la terre d'ombre brûlée pour finir de peindre les branches situées dans les parties les plus sombres. Les touches de couleur peuvent ici être libres, même si elles sont parfaitement définies. N'incorporez pas d'essence de térébenthine à la couleur que vous appliquerez sur cette zone, car les touches doivent être beaucoup plus denses et plus épaisses. Pour terminer cet exercice, appliquez des tons verdâtres d'intensités différentes ; ils se mélangeront à quelques-unes des touches foncées appliquées sur la toile. Conservez telles quelles certaines couleurs très maigres posées au début, dans la zone inférieure du tronc.*

BOSQUET

Après avoir représenté le tronc d'un arbre de façon satisfaisante, vous pouvez vous lancer dans un exercice qui consiste à peindre un bosquet. Pour mettre cet exemple en pratique, nous avons choisi une zone boisée peu touffue avec quelques arbres au premier plan. Vu l'expérience acquise lors de l'exercice précédent, celui que nous vous proposons ici ne devrait vous poser aucun problème.

▶ 1. *Tout comme dans l'exercice précédent, consacré à la représentation de troncs et de branches, il est important d'esquisser préalablement les formes principales des troncs et de leurs ramifications. Ébauchez tout d'abord leur forme générale au fusain, puis retracez-la dans une tonalité violacée très foncée. Ces touches de couleur, réalisées à l'aide d'un pinceau légèrement imprégné d'essence de térébenthine, doivent parfaitement coïncider avec le dessin préliminaire et présenter un caractère graphique très marqué. Elles vous permettront d'ébaucher les arbres et les lignes les plus importantes du paysage.*

▶ **2.** *Le premier contraste important s'obtient en couvrant le fond d'un mélange de jaune de cadmium et de jaune de Naples. Ce ton très lumineux vous permettra de délimiter la forme des arbres. Peignez le fond de végétation dans un ton vert tirant fortement sur le jaune, puis enrichissez cette base de couleur de tons légèrement bleutés. Utilisez ces mêmes couleurs pour peindre le premier plan et appliquez-y également quelques touches orangées. Peignez l'ombre de l'arbre dans un ton carmin.*

▶ **3.** *Pour la zone la plus éclairée du sol utilisez un ton orange très vif. Cet apport vous permettra de créer une relation de complémentarité avec les tons violacés. Appliquez des touches très denses de couleur rougeâtre sur les troncs des arbres.*

pas à pas

Arbres dans le lointain

La densité atmosphérique est perceptible lorsque des particules d'humidité ou de poussière s'accumulent dans l'air dans des conditions de luminosité déterminées. Lorsque l'atmosphère est dense, les tons du fond blanchissent en raison de l'effet de distance. Ce phénomène intéressant va nous offrir l'occasion d'aborder quelques techniques particulières. Vous pourrez obtenir cet effet atmosphérique en ajoutant de plus en plus de blanc au fur et à mesure que vous pénétrerez dans la profondeur du tableau.

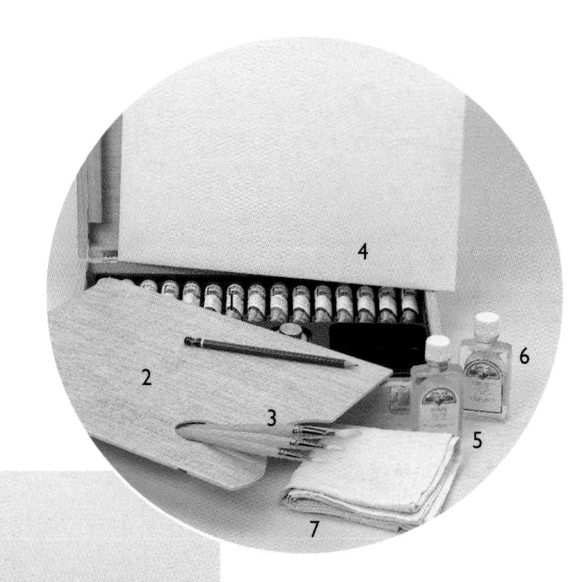

MATÉRIEL NÉCESSAIRE

Couleurs à l'huile (1), palette (2), pinceaux (3), carton entoilé (4), huile de lin (5), essence de térébenthine (6) et chiffon (7).

1. *Les arbres situés dans le lointain doivent être exempts de détails. Il est donc important de dessiner la forme de ce bosquet à l'aide d'un tracé fortement contrasté qui se différenciera clairement des autres lignes constituant le tableau.*

2. *Commencez le travail à la couleur sur le plan le plus éloigné des montagnes du fond. Utilisez une grande quantité de blanc auquel vous aurez ajouté une pointe de bleu cobalt et de violet pour ébaucher les éléments de cette zone. Il vous suffira d'ajouter une quantité minime de couleur au blanc pour qu'il prenne la tonalité choisie. Veillez à appliquer en premier lieu les tons les plus lumineux. Pour peindre la zone correspondant au ciel, utilisez également une couleur très lumineuse à base de blanc et de jaune de Naples.*

3. *Les couleurs de l'horizon doivent être froides Plus la zone concernée sera éloignée, plus le tons appliqués devront être pastel. Sur l'horizo comme sur la rangée d'arbres située dans l lointain, les couleurs doivent fusionner ave celles du fond. Le passage du pinceau provoqu l'apparition de tonalités légèrement jaspée dans la zone de contact entre les deux couleurs Cette zone, étroite et imprécise, sert de tra d'union entre le fond et le contour des arbres*

4. *La pose des premières taches de couleur peut maintenant être considérée comme terminée. Sur ces tons légèrement pastel, commencez à appliquer des contrastes très progressifs qui délimiteront les contours des zones les plus importantes. Appliquez de petites touches précises de vert, parfois mélangé à un peu de blanc, sur les arbres pour que l'atmosphère devienne perceptible. Peignez ensuite les arbres les plus proches à l'aide de verts plus foncés qui contrasteront avec les précédents.*

5. Le fond, peint dans un ton violacé tirant fortement sur le blanc, sert de base à l'exécution des arbres situés sur la ligne d'horizon. Bien qu'ils soient éloignés, peignez-les également dans un ton vert foncé, mais rabattu à l'aide de blanc pour représenter la brume qui s'interpose entre ce plan et les plus proches. Commencez à peindre la partie inférieure du tableau d'une façon plus détaillée et plus minutieuse, à l'aide de touches verticales et très concises. Employez des tons foncés.

6. Poursuivez votre travail dans la zone correspondant aux arbres en y appliquant de petites touches épaisses contrastant nettement avec les tons plus blanchâtres du fond. Cette phase sert de point de départ au traitement de la zone correspondant à la prairie. Employez des verts moins sales que ceux que vous avez utilisés jusqu'à présent. Vous créerez ainsi un certain contraste par rapport aux tons précédents. Ce contraste vous permettra de souligner la densité atmosphérique. Cette augmentation de contraste doit être réalisée de façon progressive. Les couleurs les plus proches de l'horizon doivent encore être blanchâtres.

7. *Suggérez les arbres qui composent le bosquet situé dans le fond à l'aide de petites taches de couleur qui apporteront des tonalités foncées à cette zone et fusionneront avec les tons plus pastel du fond. Augmentez l'effet de profondeur atmosphérique grâce à différents contrastes liés aux plans principaux. Grâce à ces apports de couleurs pures et contrastées, le fond pastel gagnera en profondeur. Les arbres seront parfaitement intégrés au paysage.*

SCHÉMA-RÉSUMÉ

Les premières couleurs doivent être assez lumineuses, mais rabattues à l'aide de blanc pour que l'atmosphère soit perceptible.

Les arbres situés dans le lointain se présentent sous la forme de masses de couleur sombres et lisses. Leurs formes ne sont pas définies individuellement.

Les contrastes qui mettent les arbres en relief sont combinés à différentes tonalités de verts.

Plus la zone est proche de la personne qui observe le tableau, moins la couleur du **sol** doit renfermer de blanc.

Comment peignait

Claude Monet

(Paris 1840 - Giverny 1926)

Nymphéas

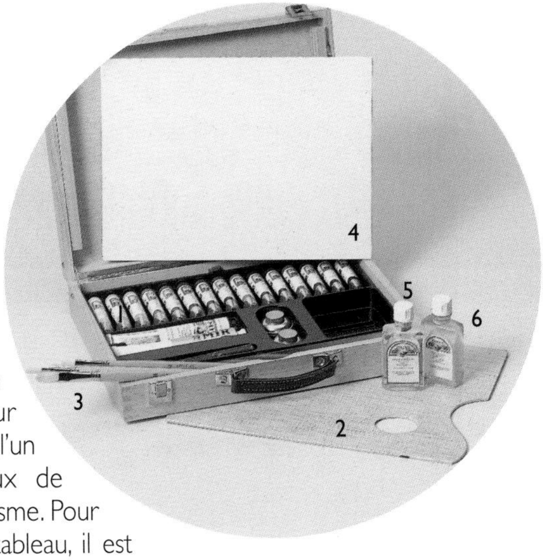

Monet fut l'un des artistes les plus féconds de son époque. Père de l'impressionnisme, il développa les théories qui permirent à ce mouvement de rompre avec la tradition académique antérieure à cette période. Toutes les tendances picturales d'aujourd'hui proviennent, d'une façon ou d'une autre, de l'impressionnisme ou des courants qui le suivirent. L'œuvre de Monet, comme celle d'autres peintres, est particulièrement indiquée pour étudier les diverses possibilités picturales offertes par la couleur à l'huile, car elle ne fait pas appel à des procédés complexes.

Monet montra un intérêt particulier pour l'étude de la lumière, l'un des principaux chevaux de bataille de l'impressionnisme. Pour situer le thème de ce tableau, il est utile de préciser que Monet fit installer un grand étang avec l'unique intention d'y faire proliférer des nénuphars et de pouvoir les peindre d'après nature. Il exécuta toute une série d'œuvres de grand format ayant trait à ce thème et les disposait en cercle pour provoquer une sensation enveloppante autour du spectateur.

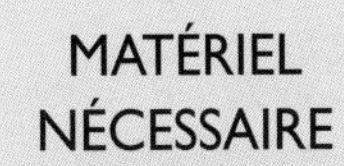

MATÉRIEL NÉCESSAIRE

Couleurs à l'huile (1), palette (2), pinceaux (3), carton entoilé (4), essence de térébenthine (5) et huile de lin (6).

PAS À PAS : *Nymphéas* - Claude Monet

1. *La peinture de Monet est souvent pleine de fraîcheur et de spontanéité. Sa technique de mise en œuvre du sujet – il ne réalisait pas de dessin détaillé des formes – se reconnaît immédiatement sur cette œuvre. Réalisez en premier lieu une ébauche générale de toute la zone correspondant à l'étang. Les couleurs doivent être fortement diluées dans de l'essence de térébenthine, mais ne doivent pas être totalement liquides car elles risqueraient de se mélanger sur la toile. L'original de cette œuvre possédait des dimensions impressionnantes. Son format a été réduit pour les besoins de cet exercice, mais celui-ci tente néanmoins de reproduire quelques-unes des principales techniques employées par l'artiste, par exemple celle utilisée pour peindre la légère fusion entre les tons verts et le bleu du fond, qui consiste à placer le support en position verticale pour que la force de gravité entraîne la couleur vers le bas.*

2. *Appliquez les couleurs à l'aide de touches tendant à la verticalité et laissez en réserve les zones destinées à accueillir les nénuphars. Les tracés bleus très lumineux formeront par la suite l'ébauche des plantes aquatiques tout en marquant les principales séparations entre celles-ci. Pour la reproduction de ce tableau, il est important d'être attentif aux aspects essentiels de la composition. Observez le modèle avec attention : vous remarquerez que les nénuphars sont disposés en forme de S sur la toile.*

3. *Les premières taches de couleur appliquées sur la toile doivent être très maigres. Le fond blanc doit encore être visible à travers les premières couches. Il convient d'utiliser des couleurs froides, y compris les jaunes, pour couvrir cette zone. Cela étant fait, vous pouvez commencer à peindre les feuilles de nénuphars les plus éloignées, c'est-à-dire celles qui sont situées en haut à gauche, à l'aide de touches beaucoup plus précises, mais sans définir les formes exactes de ces feuilles.*

Il est important d'aller voir les originaux des œuvres dans les musées et les galeries. Le contact direct avec le tableau permet de mieux observer les techniques utilisées par l'auteur.

4. *La forme des nénuphars se définit à l'aide de touches de couleur se répétant à la surface de l'eau. Comme vous pouvez le constater sur le détail ci-contre, il est difficile de donner un sens aux touches de couleur lorsqu'on les observe séparément ; on a l'impression qu'il s'agit de simples taches. En revanche, lorsqu'elles sont replacées dans un contexte d'ensemble, les points de lumière des différentes parties du paysage deviennent perceptibles. Pour réaliser ces taches, il faut rechercher la couleur adéquate à partir de mélanges effectués sur la palette. Il ne s'agit pas d'un vert pur, mais plutôt d'un gris bleuté.*

5. *Poursuivez la pose des taches répétées qui représentent les feuilles de nénuphars sur le côté gauche du tableau. Appliquez également des touches de bleu de cobalt mélangé à du bleu outremer qui contrasteront avec le bleu de l'eau. Comme vous pouvez le constater sur l'illustration ci-contre, les contrastes simultanés nés de l'assombrissement du fond rendent les nénuphars beaucoup plus lumineux. Quelques touches courtes et précises, mais sans volonté de définition, suffiront pour représenter les fleurs qui flottent sur l'étang.*

6. *La couleur qui définit toute la partie inférieure du tableau doit être nettement plus contrastée. Bien qu'appliquées directement, les touches de couleur doivent être de plus en plus denses. Elles ne doivent pas fusionner avec les couleurs ou les tons des couches précédentes. Procédez de même pour peindre les bleus qui entourent les feuilles de nénuphars. Superposez également quelques touches de jaune sur la fleur située au centre. Utilisez une tonalité carmin très terne pour renforcer les contrastes entre les couleurs froides du paysage.*

7. *Peignez les reflets de la partie supérieure à l'aide de touches sinueuses descendantes et en tentant de vous rapprocher de la verticalité du tableau. Ce faisant, le pinceau entraînera inévitablement une partie des couches précédentes. Après avoir peint la fleur située au centre comme vous aviez peint la première fleur jaune, concentrez-vous sur la zone supérieure du tableau. Il vous suffira d'appliquer quelques taches de couleur pour achever de représenter la surface de l'étang, couverte de larges feuilles de nénuphars.*

8. *Observez l'illustration ci-contre : vous remarquerez que les quelques touches très lumineuses appliquées dans la zone supérieure permettent de définir les nénuphars. Bien que leur couleur contraste suffisamment avec les bleus qui les entourent, rehaussez ce contraste à l'aide de bleu foncé. Dans la zone inférieure du tableau, travaillez sur les contrastes entre les zones claires des feuilles et le fond, jusqu'à ce que l'ensemble vous semble satisfaisant. Appliquez ensuite diverses tonalités de rouge carmin et un vert grisâtre sur les feuilles pour parfaire leur forme.*

9. *Il ne vous reste plus qu'à peindre les contrastes les plus foncés et les plus denses. Ces tons vous permettront de mettre en relief quelques zones de luminosité moyenne. Les verts foncés que vous appliquerez pendant cette dernière phase de travail ne vous permettront pas d'élaborer des formes définitives, mais leur présence contribuera à faire ressortir les couleurs les plus lumineuses des feuilles sur la surface de l'eau.*

SCHÉMA-RÉSUMÉ

Les premières couleurs doivent être très maigres. Étant donné leur consistance, elles glissent sur la toile et laissent transparaître le fond.

Le bleu lumineux permet de synthétiser la forme des feuilles et d'établir leurs limites.

Le ton employé pour peindre **les feuilles** doit être légèrement rabattu, proche du gris. Cette couleur ressort sur les tons foncés de l'eau.

Les fleurs sont peintes à l'aide de petites taches directes de couleur jaune.

Comment peignait
Vincent Van Gogh
(Groot Zundert 1853 - Auvers-sur-Oise 1890)

Pêcher en fleurs

Van Gogh est l'un des peintres les plus controversés de l'histoire. Son œuvre est passée quasiment inaperçue de son vivant et la fragilité de sa personnalité l'a mené à la frontière de la folie. Il est pourtant certain que, sans lui, la plupart des courants artistiques contemporains n'existeraient pas. Sa façon d'utiliser les couleurs et d'appliquer les touches sur la toile a ouvert la voie au courant expressionniste.

MATÉRIEL NÉCESSAIRE

Fusain (1), couleurs à l'huile (2), toile sur châssis (3), palette (4), pinceaux (5), essence de térébenthine (6) et huile de lin (7).

L'œuvre de Van Gogh est tout en énergie et en sentiments. Sa grande virtuosité ne réside pas tant dans ses qualités de dessinateur que dans la force impressionnante qui se manifeste dans sa façon d'utiliser la couleur et d'appliquer les touches sur la toile. Par ailleurs, ses thèmes, toujours très proches de l'homme, se distinguent souvent – pour ne pas dire toujours – par une vision particulière de la réalité. Son geste tourmenté et chargé d'expressivité est l'une des caractéristiques définissant sa peinture. L'illustration ci-contre est l'un des paysages réalisés par ce peintre de génie. Comme vous pouvez le constater, ce thème n'est ni compliqué ni grandiloquent. Il s'agit d'un simple jardin avec un pêcher en fleurs.

PAS À PAS : *Pêcher en fleurs* - Vincent Van Gogh

1. *Lorsqu'il se trouve face à un schéma apparemment simple, le peintre amateur doit se montrer particulièrement circonspect. Cela est démontré par ce tableau dont la composition peut induire en erreur, d'une part parce que l'arbre est légèrement décentré et, d'autre part, parce que son volume acquiert une forme assez précise qui peut passer inaperçue si ses lignes principales ne font pas l'objet d'une étude attentive. Le schéma, réalisé au fusain, vous aidera à comprendre les formes de l'arbre, ainsi que les lignes principales de la structure de la clôture qui entoure le jardin.*

La signification de la touche joue un grand rôle dans l'œuvre de Van Gogh. Au moment de la reproduire, il est important d'étudier comment les couleurs se superposent sur la toile.

2. *Il convient de peindre, en premier lieu, la zone correspondant au ciel, car cela permet de couvrir toute la zone qui servira de fond aux branches du pêcher en fleurs. Les nuages ne doivent pas tous être définis de façon identique. Ceux qui sont situés dans la zone supérieure doivent contraster légèrement avec le bleu du ciel, mais plus ils sont bas, plus ils doivent avoir tendance à se mélanger au bleu céruléen. N'utilisez pas de blanc pur, mais un blanc auquel vous aurez ajouté une pointe de jaune de Naples. Van Gogh partait toujours d'une structure simple, qu'il enrichissait à l'aide de couches successives de couleur.*

3. *Après avoir peint la zone correspondant au ciel, peignez le sol et la clôture. Comme sur l'original, vous devez faire en sorte que les tons et les couleurs appliquées sur le sol se succèdent à un rythme intéressant. Dans le fond, la couleur doit être très lumineuse. Vous l'obtiendrez en ajoutant une pointe d'ocre jaune et de vert très lumineux à une base de jaune de Naples. Incorporez des tons de plus en plus plombés et légèrement foncés, toujours prélevés dans la gamme des couleurs froides, au fur et à mesure que vous vous rapprochez du premier plan. Dans la zone la plus proche, appliquez de longues touches de couleur terre dirigées vers l'arbre principal. Excepté dans le fond, où elles doivent avoir tendance à se fondre légèrement, les touches de couleur appliquées dans la zone qui correspond à la clôture doivent être verticales.*

4. *Le fond étant résolu, vous pouvez commencer à définir chaque zone en étudiant les touches et la couleur employées dans chacune d'entre elles. Tenez compte du fait que, dans la plupart des cas, les nouvelles touches de couleur entraîneront une partie de la couche précédente. Pour compenser les tons du premier plan, appliquez de petites touches de couleur – différentes tonalités de verts très lumineux – au centre du tableau. Utilisez des bleus pour peindre les zones d'ombre du sol et appliquez différents tons d'ocre aux endroits où le soleil se reflète.*

5. Délimitez les contours de l'arbre principal à l'aide d'un pinceau fin et de plusieurs couleurs. Employez du noir pour l'un des côtés et un ton terre de Sienne brûlée pour l'autre. Dans certaines parties du tableau, celui-ci se mélangera à la couleur du fond et au noir du dessin principal. Suivez l'exemple de ce grand artiste : peignez la branche principale, point de départ des autres ramifications. Continuez à peindre le sol à l'aide de nombreux tracés, en alternant les couleurs et les tons en fonction de la luminosité.

6. Après avoir tracé les branches principales et leurs premières ramifications, commencez à peindre les feuilles de l'arbre. Cette phase est particulièrement délicate, car vous courez le risque de surcharger de couleur toute la zone correspondant à la cime. Il est donc important de réaliser ce travail de façon énergique tout en faisant preuve de mesure. Pour obtenir les tons roses des branches, utilisez du carmin, de l'orange, de l'ocre, du jaune de Naples et du blanc. Comme vous pouvez le remarquer sur l'illustration ci-contre, il convient également d'intégrer quelques touches de vert.

. Il est important de respecter le processus d'application des couleurs à la lettre pour chacune des zones de la cime. Les touches doivent être courtes, sans toutefois e réduire à des points et, si possible, former une gamme complète de tons dans chaque zone, chaque touche apportant des nuances de différentes qualités chromatiques. Les tonalités de la zone centrale de l'arbre ont de couleur orangée, alors que, sur la droite, c'est un ouge, rabattu à l'aide de jaune de Naples et de blanc, qui prédomine. Parallèlement à l'exécution de la cime, l peut s'avérer nécessaire de rectifier ou de peindre certaines branches. Elles doivent se présenter sous a forme de petits traits de couleur entrecoupés par a frondaison rosâtre. Appliquez des tonalités bleues et de couleur courge sur le tronc en évitant de les uperposer au tracé noir qui délimite celui-ci.

8. *Continuez à effectuer de petits apports de couleurs qui définiront la forme de la cime de l'arbre. Dans certaines zones, ajoutez quelques petites touches de noir qui contrasteront fortement avec les autres couleurs, à tendance pastel, qui les entourent. Utilisez le pinceau le plus fin pour peindre les branches les plus minces. Il ne doit pas entraîner les couleurs lumineuses du fond.*

Il est parfois nécessaire d'avoir recours au mélange direct des couleurs sur la toile, en plus de celui effectué sur la palette, pour réaliser des empâtements denses de couleur sur une œuvre. Dans certains cas, un ton peut être corrigé par adjonction directe d'une couleur.

9. Les nombreuses touches de couleur appliquées en dernier lieu sur la cime de l'arbre doivent être de plus en plus pures. Il convient même d'ajouter des rouges et des carmins purs contrastant fortement avec les couleurs presque blanchâtres de ce qui constitue maintenant le fond. En ce qui concerne le sol, le travail à la couleur doit être minutieux. Cette zone requiert l'intervention de touches de couleur plus petites et beaucoup plus épaisses que celles que vous avez appliquées jusqu'à présent. L'exécution de la clôture demande également beaucoup de soin. La différence de luminosité entre chaque zone vous aidera à résoudre cet élément du tableau.

SCHÉMA-RÉSUMÉ

Le bleu du **ciel** est un bleu céruléen. Les nuages présentent diverses tonalités très blanchâtres.

Une simple ligne permet de dessiner **les contours de l'arbre principal** qui est alors parfaitement défini.

Les feuilles sont peintes dans des tons pastel, mélangés pour la plupart avec du blanc et du jaune de Naples.

La précision du tracé et des couleurs appliquées sur le sol augmente au fur et à mesure de l'avancement du tableau.

Les tons utilisés pour peindre le sol doivent refléter les caractéristiques de la lumière reçue.

Comment peignait

Henri Matisse

(Le Cateau-Cambrésis 1869 - Nice 1954)

L'Algérienne

Héritier des théories léguées involontairement par Gauguin, Matisse fut l'un des chefs de file du fauvisme. Ce mouvement post-impressionniste se caractérisa par une utilisation violente de la couleur, qui impliquait une connaissance parfaite des théories chromatiques. Tout en transcrivant fidèlement le monde extérieur, Matisse a su créer un style très personnel.

MATÉRIEL NÉCESSAIRE

Fusain (1), couleurs à l'huile (2), toile sur châssis (3), palette (4), pinceaux (5), essence de térébenthine (6), huile de lin (7) et chiffon (8).

Tout comme celles des nabis, les œuvres des fauves se caractérisent, entre autres, par l'utilisation de couleurs complémentaires et, bien souvent, par la présence d'une ligne définissant la forme des sujets peints. L'exemple que nous vous proposons ici est très révélateur de ce style pictural. Cette œuvre n'est pas véritablement complexe, il s'agit plutôt d'une peinture amusante à réaliser, à la portée de tout peintre amateur. L'original possède néanmoins un grand impact visuel.

PAS À PAS : *L'Algérienne* - Henri Matisse

1. *Si le dessin est une phase importante pour tous les travaux exécutés à la couleur à l'huile, dans le cas présent, il s'agit d'une étape indispensable, car les couleurs seront appliquées sous forme d'aplats. Elles ne présenteront donc aucun type de modelé et les tons ne feront l'objet d'aucune fusion. Il est important que l'esquisse soit exacte, car elle constituera la base de la ligne et des masses de couleur qui seront appliquées dans chacune des zones. Par ailleurs, le fait d'exécuter l'esquisse au fusain permet de retoucher la plupart des lignes les plus confuses en passant un simple chiffon sur la zone concernée. Matisse exécutait un dessin similaire à celui-ci pour étudier avec attention les couleurs de chacune des phases ultérieures.*

L'esquisse doit être réalisée à l'aide d'un instrument facile à retoucher, tel que le fusain ou même la couleur à l'huile. L'une des techniques couramment utilisées par de nombreux peintres consiste à employer une couleur acrylique car les tracés à l'acrylique peuvent aisément être retouchés tant que la couleur est fraîche. De plus, l'acrylique sèche rapidement et est compatible avec la couleur à l'huile.

2. *Après avoir ébauché le personnage, il convient de réaffirmer les lignes principales du dessin. Dans cet exercice, il est important de vous assurer que le dessin est parfaitement défini avant de commencer à peindre, car le tracé constituera la limite de chacune des zones du personnage et du fond. Le trait de couleur doit être assez épais pour servir de séparation lors des phases suivantes, qui consisteront à appliquer la couleur dans chacune des zones du tableau.*

3. *Le tracé préalable des lignes les plus épaisses permet de commencer à peindre dans des zones parfaitement délimitées. Comme le faisait Matisse, il faut débuter par les zones destinées à accueillir des couleurs complémentaires. Appliquez un violet très lumineux sur l'ouverture de la porte, située sur le côté droit de la composition, et un ton rosé sur le jambage de cette porte. Peignez la zone inférieure dans un ton intermédiaire. Peignez ensuite la partie du fond située à gauche du personnage à l'aide d'une couleur rougeâtre, que vous pourrez intensifier plus tard. Comme dans l'original, les couleurs doivent être appliquées sous forme d'aplats, c'est-à-dire qu'elles ne doivent faire l'objet d'aucun dégradé ni d'aucun autre type de gradation. Commencez à peindre le visage dans un ton rose très clair et la zone d'ombre du cou dans un ton violacé assez foncé.*

Lorsque l'on travaille avec des couleurs très propres, il convient, si possible, d'éviter de réaliser les mélanges directement sur la toile, surtout si ceux-ci renferment du noir. Lorsqu'une couleur a été salie de façon excessive, il est inutile d'insister. La seule solution consiste à l'éliminer de la toile à l'aide d'un couteau et à repeindre la zone concernée.

4. *Peignez le vêtement porté par le personnage dans des tons verts légèrement rabattus à l'aide de blanc, sans chercher à exprimer son volume. Appliquez néanmoins d'autres couleurs dans cette zone, surtout sur la manche, pour enrichir le chromatisme du tableau. La coloration définitive du fond s'effectue à l'aide de tonalités totalement planes. L'effet visuel provoqué par la juxtaposition de couleurs chaudes et froides crée de très forts contrastes complémentaires. Travaillez ensuite chacune des zones du visage en intervenant sur les couches précédentes. Bien qu'il n'existe pas de ligne de séparation entre ces différentes zones, chacune d'entre elles correspond à un plan différent.*

5. *Chaque zone, y compris celles qui sont restées en réserve et qui sont donc de couleur blanche, doit accueillir un aplat de couleur. Cette couleur pourra tenir lieu de ligne de séparation. Observez l'illustration ci-contre, plus particulièrement la partie du fond située sur la gauche : les tracés verts servent à séparer les zones. Appliquez un vert lumineux sur la figure géométrique en forme de volute que vous aviez laissée en blanc. Ornez le jambage vert de la porte d'une lisière rouge composée de traits courbes. Reprenez l'exécution du visage à l'aide d'un pinceau fin. Ces lignes doivent être plus précises et plus minces que les précédentes.*

6. *Après avoir défini les principaux traits du visage, tracez les contours du nez à l'aide du pinceau fin imprégné de noir et de violet. Peignez les lèvres dans un ton carmin foncé. Utilisez différentes couleurs pour le vêtement et profitez-en pour créer de nouvelles zones de couleurs planes. Sur le côté gauche, appliquez un bleu ciel légèrement rabattu à l'aide de blanc. Sur le côté droit, peignez les zones qui étaient restées en blanc dans un ton chair. Appliquez une couleur légèrement jaunâtre sur les mains ; elle servira de base aux tons suivants.*

7. *Travaillez les mains en couvrant le ton précédent d'une couleur légèrement plus lumineuse et orangée, que vous obtiendrez en mélangeant de l'ocre, du jaune de Naples, une pointe de carmin et beaucoup de blanc. Finissez de peindre la manche du vêtement à l'aide d'un vert très lumineux et appliquez un ton violet foncé sur la ceinture. La plupart des fauves et des nabis procédaient de cette façon.*

Les contrastes définitifs doivent être exécutés en dernier lieu. Cela permet d'ajouter des nuances destinées à enrichir l'ensemble, sans que celles-ci possèdent un caractère définitif. Les contours des formes doivent rester précis et délimiter chacun des plans concernés.

8. *Achevez de définir le visage de la femme à l'aide d'un tracé fin qui vous permettra également de séparer les couleurs du visage de celles du cou. Appliquez une touche de couleur sur la pommette pour la faire ressortir et séparer les zones de lumière qui entourent l'œil. Utilisez le même ton vert lumineux pour peindre le blanc de l'œil et assombrir les sourcils et les paupières. Tracez l'ornement de l'encadrement de la porte située sur la droite à l'aide de terre d'ombre brûlée.*

9. Lorsque les aplats de couleur couvrent entièrement la toile, il ne vous reste plus qu'à peindre les petites portions qui sont restées en blanc. Achevez de définir les lignes les plus importantes. Ainsi se termine cet exercice d'interprétation du tableau de Matisse.

Lors des derniers tracés, il est important de prêter une attention particulière aux couleurs du tableau. Cela signifie que si vous souhaitez annuler la luminosité de certaines zones, les dernières touches de couleur doivent laisser respirer les couches précédentes.

SCHÉMA-RÉSUMÉ

Le dessin initial s'effectue au fusain, car les tracés réalisés à l'aide de cet instrument sont faciles à corriger.

Le rouge très intense **du fond** contraste fortement avec les verts lumineux et les violets. Il s'agit de l'une des principales caractéristiques de ce style pictural.

Chacune des couleurs appliquées sur **le visage** occupe un plan. Le tracé des contours permet de redéfinir les traits du visage.

Toutes les zones doivent être réaffirmées en retraçant leurs contours dans le même ton ou en noir.

Les mains requièrent plusieurs interventions de **couleur.**

Comme peignait

Paul Cézanne

(Aix-en-Provence 1839-1906)

Nature morte

Cézanne fut, avec Gauguin et Van Gogh, l'un des précurseurs du courant post-impressionniste. Admiré de ses contemporains, qui le surnommèrent « le savant », Cézanne est un élément clé de la peinture contemporaine. Ses apports techniques et théoriques ont ouvert la voie à Picasso et au cubisme.

MATÉRIEL NÉCESSAIRE

Fusain (1), couleurs à l'huile (2), toile sur châssis (3), palette (4), pinceaux (5), essence de térébenthine (6), huile de lin (7) et chiffon (8).

L'œuvre de Cézanne s'attache en permanence à la synthèse des plans. Elle entend montrer, en un seul tableau, toutes les vues possibles d'un objet. Les théories de ce peintre de génie ne se reflètent pas encore totalement dans cette nature morte, mais cette œuvre contient déjà quelques apports qui vont dans le sens de ces théories. Observez le plan de la table par rapport au reste des objets de cette nature morte, ainsi que la façon dont les touches de couleur construisent les formes à partir de petits plans.

1. *Cézanne accordait un intérêt tout particulier à l'étude de la composition de chacun de ses tableaux. Sa technique de composition était pourtant basée sur une construction progressive, dans laquelle les formes ne s'imposaient que peu à peu. Il est fort probable que Cézanne n'a pas exécuté de dessin préalable de cette nature morte, mais l'interprétation de son œuvre sera plus aisée si vous en schématisez les lignes essentielles au fusain. Tracez les lignes droites en tenant le fusain à plat, dans le sens longitudinal. Il n'est pas nécessaire que votre dessin soit très achevé. Limitez-vous à définir les zones principales à partir de leurs contours.*

L'exécution du schéma terminée, si vous souhaitez le conserver en tant que base de la structure du tableau, vous pouvez le fixer à l'aide d'un fixateur en spray. Même si vous le peignez ou si vous le retouchez, le dessin restera inaltérable.

2. *Le premier apport de couleur doit être réalisé sur le fond. Utilisez une couleur très maigre. Vous pourrez ainsi préserver les lignes que vous avez tracées au fusain et qui situent les formes du modèle. La couleur doit être appliquée de façon assez irrégulière et ne doit pas être pure. Mélangez du bleu et une petite quantité de blanc, et ajoutez quelques petites touches d'ocre. Observez le détail ci-contre : vous constaterez que les touches de couleur ne respectent pas scrupuleusement les limites du dessin. Les interventions ultérieures, plus denses et plus grasses, pourront parfaitement être superposées à ces premières couches transparentes du fond.*

3. Pour finir de peindre le fond, utilisez différentes intensités de bleu et une grande variété de tracés qui formeront différents plans. Mélangez la couleur sur la palette, mais faites également en sorte qu'elle entraîne une partie de la couche précédente lors de son application. Comme le fit Cézanne, axez l'exécution du vase sur la recherche de nombreux plans et non pas sur le modelé des formes. À ce stade du travail, les grandes touches de couleur ne doivent pas fusionner, mais se superposer. Il convient donc de ne pas insister excessivement sur le tracé pour éviter que les couleurs ne fusionnent.

Il convient de travailler en parallèle sur l'ensemble du tableau pour que toutes les zones soient achevées en même temps et que toutes les retouches puissent être exécutées au fur et à mesure.

4. Ajoutez les couleurs par touches successives jusqu'à ce que la forme du vase, qui est définie par la direction de ces touches, soit entièrement délimitée. Peignez ensuite la fleur à l'aide de longues touches de couleur très directes, sans repasser deux fois votre pinceau au même endroit. Comme vous pouvez le constater sur l'illustration ci-contre, la couleur doit être plane. Ici aussi, c'est la direction du tracé qui définit la forme des pétales. Peignez les fleurs jaunes en procédant par touches directes, sans préciser leur forme. Toujours en jaune et de la même façon, peignez ensuite le fruit situé dans le fond. Ébauchez son ombre à l'aide d'un tracé direct de couleur rouge. Appliquez des tons à base de terre de Sienne, de terre d'ombre brûlée et de blanc sur la zone correspondant à la table. Pour représenter l'ombre du vase sur la table, utilisez une couleur violacée, à laquelle vous aurez ajouté du blanc pour qu'elle acquière une tonalité grisâtre.

5. *La technique utilisée par Cézanr pour créer différents plans à la surfa de la table est parfaitement visible s le détail ci-dessus : quelques touch de couleur sont légèrement bleutées mélangées à du blanc, d'autres so rougeâtres et orangées. Les différent touches de couleur forment des pla croisés qui laissent entrevoir l couleurs du fond. L'orange située sur gauche peut être réalisée rapidemer en y appliquant des couleurs présenta une tonalité grisâtre, obtenue par ajo de blanc. La présence du blanc da les mélanges donne lieu à ur gamme de couleurs rabattue*

6. *Les couleurs appliquées dans la zone correspondant à la table serviront de base aux interventions suivantes qui incluront des tons carmins et différents bleus. En les mélangeant à du blanc su votre palette, vous obtiendrez des tons roses légèrement violacés. Peignez la zone d'ombre de la table à l'aide d'un carmin rougeâtre, que vous aurez rabattu en y ajoutant du blanc et de la terre d'ombre. Appliquez quelques touches blanchâtres dans la zone inférieure du vase pour parfaire sa forme. Pour obtenir ce ton, utilisez du jaune de Naples, de la terre de Sienne et du blanc. Incorporez ensuite quelques touches d'ocre dans la zone supérieure du vase. Peignez la fleur située sur la droite dans des tons très clairs, que vous contrasterez plus tard avec des couleurs pures.*

7. *Vous allez maintenant devoir définir des zones très foncées sur le côté droit du vase. N'employez à aucun moment du noir au cours de cet exercice. Utilisez plutôt l'effet produit par l'emploi de contrastes simultanés pour travailler sur les tons les plus foncés. Cézanne respectait les théories impressionnistes, qui rejetaient l'emploi du noir dans l'étude de la lumière. Étant donné que le reste du tableau est composé de couleurs très lumineuses, il suffit d'employer un ton foncé dans cette zone pour que les contrastes soient immédiatement renforcés. Les tons clairs sembleront alors beaucoup plus lumineux et les tons foncés plus denses. Achevez de définir la forme des feuilles à l'aide de couleurs foncées. Suggérez également les ombres dans la zone éclairée du vase, en procédant par touches libres. Ces apports ne doivent pas se mélanger aux couleurs précédentes.*

L'une des théories de Cézanne était que tous les objets peuvent se réduire à des formes géométriques simples. Chaque plan d'un objet peut correspondre à une couleur indépendante du reste.

8. *L'ensemble du travail relatif aux fleurs doit être réalisé à l'aide d'aplats de couleurs pures. Utilisez des tons totalement différents et très directs, bien séparés les uns des autres, pour distinguer chacune des zones. Appliquez des touches ponctuelles directes sur les petites fleurs, sans entrer dans les détails.*

9. *Il ne vous reste plus qu'à préciser la forme de chacun des plans. Tracez une ligne de couleur bleu foncé autour du vase pour le faire ressortir par rapport à la partie horizontale de la table. Éclaircissez le fruit situé dans le fond en y ajoutant du blanc pour qu'il acquière des tonalités plus proches de la couleur de l'original. Précisez également la forme des oranges situées sur la gauche en assombrissant sensiblement leurs contours à l'aide de tonalités bleutées. Pour terminer, insistez sur les zones sombres des différents plans de la table.*

Lorsque cela s'avère utile, nous vous conseillons de laisser sécher le tableau d'un jour sur l'autre, entre deux séances de travail, pour éviter la formation d'empâtements excessifs. Cette façon de procéder permet d'obtenir un résultat final beaucoup plus propre.

SCHÉMA-RÉSUMÉ

Le schéma initial se base sur des éléments géométriques simples qui permettent d'esquisser les formes du modèle et d'étudier attentivement la composition.

Le fond se peint dans des tons bleus, fortement rabattus à l'aide de blanc. Les touches de couleurs doivent être directes. Les tons ne doivent pas se mélanger, ils doivent constituer des plans indépendants.

Les divers tons des aplats posés **sur les fleurs** permettent de différencier les zones.

Pour peindre **les petites fleurs,** il faut procéder par petites touches très directes de jaune et de blanc.

Chaque modification de ton effectuée **sur le vase** se réalise de façon directe, sans que les couleurs fusionnent.